Nadine De  S0-AKH-529

Les secrets du divan rose

N° 7

Un vrai casse-tête

Catalogage avant publication de Bibliothèque et Archives
nationales du Québec et Bibliothèque et Archives Canada

Descheneaux, Nadine, 1977-

Un vrai casse-tête
(Les secrets du divan rose ; 7)
Pour les jeunes de 12 ans et plus.

ISBN 978-2-89595-606-8

     I. Titre. II. Collection : Descheneaux, Nadine, 1977-   . Secrets du
divan rose ; 7.

PS8607.E757V72 2011   jC843'.6   C2011-941260-8
PS9607.E757V72 2011

Auteure : Nadine Descheneaux
Illustration de la couverture : Jacques Laplante
Graphisme : Julie Deschênes et Mika

La typographie utilisée pour la création de la signature
de cette série est la propriété de Margarete Antonio.
Tous droits réservés.

Dépôt légal – Bibliothèque et Archives nationales du Québec,
3ᵉ trimestre 2011

ISBN 978-2-89595-606-8

Gouvernement du Québec – Programme de crédit d'impôt
pour l'édition de livres – Gestion SODEC
Boomerang éditeur jeunesse remercie la SODEC
pour l'aide accordée à son programme éditorial.

Nous reconnaissons l'aide financière
du gouvernement du Canada par
l'entremise du Fonds du livre du Canada
(FLC) pour nos activités d'édition.

ASSOCIATION
NATIONALE
DES ÉDITEURS
DE LIVRES

Imprimé au Canada

Tout ce qui ne s'exprime pas s'imprime.

À Marjorie.
Un divan ou un banc de parc :
c'est presque pareil !
C'est le lieu de toutes les confidences,
l'endroit idéal pour rêver et
surtout la meilleure place pour refaire
le monde des millions de fois.
Merci d'être là depuis
des dizaines d'automnes !

L'automne en feu

Couchée sur le dos sur mon divan rose, je flâne au travers de toutes mes idées, un pied dans mes souvenirs, l'autre dans mes projets. Et la tête dans mes rêves, comme toujours. Quand je ferme les yeux, des images de la dernière soirée de vacances me reviennent. Un immense feu d'artifice multicolore dans le ciel, mes amies et moi assises dehors sur des chaises pliantes, deux doudous roses sur nous, les yeux accrochés aux étoiles et aux feux qui illuminaient le rideau de la nuit. Magique.

Ce soir-là, j'ai fait un vœu. On en fait bien un quand on souffle nos bougies d'anniversaire, alors je ne vois pas pourquoi la magie n'opérerait pas avec un feu d'artifice. Avec un peu de chance, l'effet sera peut-être double ou même triple ? On réalise peut-être notre vœu plus vite ainsi, qui sait ? Patiemment, j'ai attendu la grande finale – quand les pétards explosent plus vite, le bourdonnement s'intensifie, les couleurs se bousculent dans le ciel et la terre est secouée – pour fermer mes yeux et proclamer mon souhait secret. On procède ainsi, je crois, pour mieux le voir ou pour qu'il ne s'échappe pas. Qu'importe ! Je l'ai fait. J'ai souhaité un automne que je n'oublierais jamais. Un automne magique ! Un automne en feu ! Dynamique. Chaleureux. Vrai. Intense. Fort. Un automne feu d'artifice !

Je n'ai pas révélé mon vœu à mes amies. Inutile de les alerter ! Et surtout, je ne désirais pas attirer le malheur ! Un souhait trop vite partagé ne se réalisera pas. Tout le monde sait cela. Mais Rosalie me devine trop. Emma aussi. Même Zoé. Il y a entre nous un courant invisible qui nous lie. « Tu dors, Frédérique ? » m'a demandé Emma en me poussant la cuisse. Je n'ai pas eu le temps d'ouvrir les yeux et encore moins la bouche que Rosalie s'empressait de répondre à ma place. « Elle rêve, fait un souhait, parle à sa bonne fée, mijote un projet pour nous cet automne ou quelque chose comme cela ! » Zoé m'a fait un clin d'œil qui disait qu'elle approuvait. Elles n'avaient pas tort, évidemment. Je suis la rêveuse du groupe. C'est plus fort que moi. J'aime les rituels, les souhaits, les rêves, les grandes idées, les projets emballants, les passions, les activités nouvelles. C'est un peu ce que je nous souhaitais. On avait passé un si bel été que j'en voulais encore. Et ce, même si l'école recommençait. Pour moi, ça n'a jamais été un obstacle. L'école est un endroit où je peux explorer des facettes personnelles. Un peu comme un labora- toire où je suis moi-même le spécimen à examiner. Je fais des expériences, j'essaie, je plonge, je me lance. Parfois, je réussis. D'autres fois, non. Et ce n'est pas plus grave. Je me découvre. Et ça, c'est génial ! Je sais de plus en plus qui je suis. Je sais ce que j'aime le plus (écrire, parler, communiquer, cuisiner, faire des bijoux, rêver et rassembler les gens et les idées !), les domaines dans lesquels je suis bonne (les mathématiques et le français !) et les trucs que je fais d'abord pour me faire plaisir sans chercher à exceller (le sport, cuisiner, le théâtre, entre autres !). Des fois, je pense que je fais des fouilles similiarchéologiques. Je creuse en moi pour trouver des parcelles que je ne connais pas. Je suis le propre sujet de ma recherche. C'est un peu fou ! Je me sens parfois seule à penser ainsi. Aimer l'école, ce n'est pas commun. Qui veut dire cela ? Qui ose le clamer haut et fort ? Moi. Je n'en ai pas honte. Pas une miette. Même mes amies l'aiment déjà plus depuis qu'elles la voient sous cet angle nouveau. Ce n'est pas tant l'école que j'aime, mais tout l'univers qui l'entoure. Il y en a des gens qui gravitent dans cet univers : professeurs, élèves, directeur, bibliothécaires, cuisiniers, concierges, infirmières, etc. C'est un petit monde unique... Et moi, je sais que je suis comme une étoile dans cette constellation-là et je me sens importante. Parce que sans moi, mon école ne serait pas la même et que sans mon école, je ne serais pas la même. C'est à double sens. Chacun retire quelque chose de l'autre. Un transfert d'énergie entre mon univers-école et moi...

Au moment où je regardais le feu d'artifice, je ne réfléchissais pas aux étoiles et à mon univers-école. Non ! Cette pensée-là, elle s'est infiltrée en moi hier lors de la rentrée. Exceptionnellement, on a eu une journée entière. C'est rare ! Depuis la maternelle, j'avais connu des demi-journées, mais cette fois, pour l'après-midi, on était tous convoqués à une réunion spéciale dans le gymnase. Un peu comme une grande assemblée où Denis, le nouvel animateur parascolaire, nous a présenté son GGP : son grand grand projet ! « C'est simple ! Cette année, je vais vous prouver qu'on est plus qu'une école, plus que cinq cents personnes qui évoluent ensemble et qui se voient tous les jours sans vraiment se parler. Je vais vous prouver que, même si chacun de nous est différent, on ne fait qu'un. Et notre noyau, ce sera notre GGP ! C'est vous qui allez l'alimenter, ce GGP ! Vous allez le construire, le nourrir, le faire briller, l'entretenir et même le faire exploser en mille projets. Chacun à votre façon, vous allez contribuer à faire de cette école plus qu'un endroit où on apprend les rudiments de la science, des formules mathématiques, des notions de géographie ou des règles compliquées de grammaire. Votre plus important GGP, c'est vous ! » Et tout l'après-midi, on a développé avec lui des idées pour que notre école soit plus qu'une école. Qu'elle soit comme nous! Qu'elle soit ce qu'on souhaite! Au départ, il a dû nous nommer toutes sortes de projets qui pouvaient devenir notre mission! On avait le droit à tout! Il fallait que ce soit un rêve, un projet ou une idée qui nous fasse triper. Mais aussi un geste ou une action qui allait changer en mieux la vie à l'école. Quelque chose dont on serait fiers et qui ferait rayonner notre école. Moi, quand il a dit cela, j'ai pensé au feu d'artifice. Il fallait que ça fasse « boum » et qu'une pluie de couleurs recouvre notre école.

Petit ou grand geste, d'envergure ou non, chacun devait s'en trouver un et le faire approuver par Denis. Escouade propreté, comité vert, anti-intimidation ou violence-zéro, radio étudiante, création d'une fresque sur le mur extérieur de l'école, etc. Plus question de se défiler. Personnellement, je croyais rêver. Ça me ressemblait tout à fait de vivre une expérience comme cela. J'ai dit « oui » un million de fois dans ma tête. J'ai tellement souri que j'ai cru me décrocher la mâchoire. Oui, mon automne serait beau ! Oui, mon automne serait vibrant ! Oui, mon automne serait tourbillonnant comme les feuilles qui s'apprêtaient bientôt à tomber des arbres. Peut-être serait-il un peu étourdissant et enivrant, mais il serait avant tout ultra-vivant !

J'étais emballée. Et les autres élèves aussi. Certains ont un peu rechigné, pour la forme, mais finalement tous se sont laissé emporter dans cette belle frénésie. Jamais on n'avait eu une rentrée scolaire aussi spectaculaire...

À la fin de cette première journée mémorable, Emma, Zoé, Rosalie et moi avons évidemment organisé une soirée pizza. D'habitude, notre rituel a lieu le vendredi soir, mais on a fait une exception pour fêter la rentrée. Trop cool ! Sérieux ! On avait eu le temps de se parler un peu durant la journée, mais pas autant qu'on le voulait. Sur mon divan, chacune a pu expliquer son projet, son GGP, comme on doit désormais l'appeler. Emma a décidé de s'impliquer dans la vie de l'école en préparant chaque semaine un gros gâteau pour tous ceux dont c'était l'anniversaire. Rosalie, quant à elle, a décidé de participer au comité qui s'occupera de l'organisation de danses un vendredi soir par mois. Elle trépigne à l'idée de planifier la décoration, les thèmes et, pourquoi pas, des trames musicales ! Zoé poursuit sur sa lancée dans le sport. Elle fait désormais partie de l'équipe de basket-ball de l'école et souhaite même représenter celle-ci dans l'équipe régionale. C'est son objectif.

Toutes les implications sportives sont acceptées dans les GGP, car, selon Denis, c'est une façon de faire rayonner notre école dans la ville et même au-delà. Zoé n'a pas pris de temps à faire son choix ! Bien sûr, pour elle c'était totalement évident. Le sport, elle en mange ! Comme toute sa famille, d'ailleurs !

De mon côté, j'ai hésité. Pas parce que rien ne m'intéressait. Au contraire ! Tout m'intéressait ! Autant faire partie de la troupe de théâtre que siéger au conseil scolaire, participer à l'escouade propreté, me joindre à l'équipe du journal étudiant, faire de la radio, monter un projet de bénévolat avec le centre de personnes âgées de la région, écrire un roman mettant en vedette notre école, créer un atelier de yoga et de relaxation pour tous, etc. Vraiment, les projets tourbillonnaient dans ma tête et j'ai eu du mal à choisir. Évidemment, on peut toucher à d'autres projets que le nôtre. On n'est pas restreint à un seul. C'est un peu une opération solidarité. Chacun aide tout le monde. On met tous la main à la pâte. Mais on doit s'engager formellement pour un seul GGP. Entre deux bouchées de pizza extra olives, j'ai enfin annoncé à mes amies que j'avais décidé d'être reporter pour le journal scolaire. Mieux que cela, j'ai proposé de suivre l'équipe de basket-ball et de relater toutes ses parties. Ainsi, je serai souvent avec Zoé. C'est parfait ! Je veux faire le compte rendu des parties, les suivre dans les matchs interécoles, faire des portraits de certaines joueuses (Zoé, c'est sûr !) et être là autant lors des entraînements que lors des qualifications pour l'équipe régionale.

J'ai étonné mes amies. Ma mère aussi a été soufflée d'apprendre que c'était le projet qui avait retenu le plus mon intérêt. C'est vrai qu'habituellement je suis la rassembleuse et celle qui travaille en équipe. J'aime que ça bourdonne autour de moi. Mais pour une fois, j'avais envie de m'engager dans un truc plus perso, presque en solitaire. Journaliste, c'est être entouré, mais c'est aussi être seul. Il faut plonger, chercher l'information, trouver des scoops, poser les bonnes questions, tout voir, tout examiner, interviewer des gens et ensuite s'installer face à la page blanche sur l'écran de son ordi et remâcher le tout pour que d'autres soient à leur tour informés. Je me sentais un maillon dans la chaîne d'information. Un maillon qui allait peut-être raviver notre fierté commune en montrant comment l'équipe de basket-ball nous représente bien. J'allais me fier à mon regard, à mes sentiments et à mes intuitions pour communiquer ce dont je serais témoin. Ce n'est pas rien.

Je ne regrettais pas mon choix. Ce serait un peu plus difficile que si j'avais décidé de participer chaque semaine à la corvée de nettoyage de la cour d'école – en plus, je l'ai déjà fait –, mais justement, l'essence même d'un défi, n'est-ce pas un appel à se mesurer et à se dépasser ? Ce n'est ni supplanter les autres ni les écraser pour pouvoir mieux leur voler une part du soleil et de ses rayons ! Non, ce que je veux, c'est me mesurer à moi-même. Me pousser à aller jusqu'au bout, à essayer, à demander de l'aide aux autres, à apprendre et à me trouver un peu plus. Être reporter, c'est ce qui me convenait le mieux. Pour toutes les autres activités et tous les projets qui m'intéressent, je donnerai un coup de main quand je pourrai.

Mes amies et moi, on s'est promis de s'aider autant qu'on le pourrait. On a pris des chemins différents avec nos GGP, mais on ne se lâchera pas. Zoé et moi risquons d'être plus souvent ensemble, même si j'aurai un rôle différent du sien lors de ses matchs. Je serai l'observatrice, elle sera en pleine action. Nos GGP se croisent déjà un peu. Rosalie a réussi à faire dire « oui » à Emma pour qu'elle prépare aussi des cupcakes spéciaux qui seront vendus les soirs de danse. Vraiment, on ne sera jamais loin les unes des autres. Et c'est très très bien ainsi. Ohhh ! Je les aime, mes amies. Quand je pense à elles, j'ai toujours une bouffée d'amour qui m'envahit. Ce sont presque mes sœurs. Oh oui ! C'est vrai ! Je n'ai ni frère ni sœur et c'est magique de savoir qu'elles sont toutes les trois des « presque-sœurs ».

Oui, étendue sur mon divan rose, là où on était hier soir (et des centaines d'autres jours aussi !) et où on sera souvent cette année encore, je pense à tout cela et je me dis que j'ai eu raison de faire un vœu, ce vœu-là précisément, en regardant le feu d'artifice.

Sans prévenir, un drôle de frisson grimpe de mes orteils jusqu'à la racine de mes cheveux. Soudain, je vis une microseconde de crainte et de doutes. Il est vrai que ça fait peur un peu… Je suis magicienne ? Quoi ? J'ai le droit d'y croire : mes vœux se réalisent quand je les formule sous une pluie de feux d'artifice. Cette pensée me donne un petit vertige. Le monde est à moi… Je peux réussir ? Je vais y arriver ? Tout est possible ? Oufff ! Je sens en dedans de moi toutes ces idées s'entremêler et en même temps une certitude qui monte, prenant le même chemin que le frisson. Je suis en train de vivre les premiers moments d'un automne exaltant et intense.

Des jours
fous fous fous

Du jamais vu! D'habitude, le premier lundi après la rentrée, on remarque plus de mines déconfites, de babounes et d'yeux mi-ouverts mi-fermés. Des airs d'après-vacances difficiles! La routine scolaire reprend, mais on dirait qu'elle est toujours en avance sur nous. Là, c'est totalement différent. Les regards que je croise dans les corridors entre mes cours sont illuminés. Des regards pleins de feux d'artifice. Je souris toute seule à cette pensée.

Durant le week-end, chacun devait décrire son GGP sur une pastille colorée et ensuite la signer. Sur l'heure du midi, on l'a collée sur une immense murale dans le corridor menant à la cafétéria et à la salle polyvalente. Denis a réussi à nous faire sentir responsables de notre fierté collective. Même plus : on doit s'assurer que chacun parvienne à son but. Le rêve est permis pour tous !

— Frédérique ! Fred ! Frédou !

J'étais dans la lune... comme ça m'arrive souvent. Zoé m'a attrapée par le bras, d'abord pour me sortir de mes rêveries et surtout pour m'entraîner avec elle vers le gymnase.

— Fred, si tu veux suivre tous nos entraînements, nos parties et notre vie d'équipe, il va falloir que tu te réveilles un peu. On a des entraînements les lundis et vendredis midi. Mardi et jeudi soir, on peut aller se pratiquer sur une base volontaire. Ensuite, moi, je cours chaque matin avant de venir à l'école, pas longtemps, là, par exemple, 25 minutes environ. Bien sûr, on a au moins deux matchs par semaine et un samedi sur deux. En tout cas, pour débuter, ça ressemble à cela. Fred ? Fred ? Tu me suis ?

Si je la suis ? Bien sûr ! Je suis simplement estomaquée par l'horaire complètement fou de Zoé. Je ne croyais pas que c'était autant de travail.

— Minute ! Minute ! Il faut que je note cela. Je ne me rappellerai pas de tout ! ai-je dit en fouillant dans le fond de mon sac à la recherche d'un crayon et d'un bout de papier.

Note à moi-même : il me faut un cahier de notes sous la main en tout temps. Et un crayon aussi.

— Je n'ai pas le temps, Frédou ! Je ne peux pas être en retard à la pratique, sinon c'est une tache dans mon dossier de candidature pour l'équipe régionale. Rejoinsmoi au gymnase quand tu pourras…

— Mais mon sandwich ? Faut que je passe à la cafétéria… Tu as mangé, toi ?

— Bien sûr ! C'est déjà fait ! Faudra que tu apprennes à tenir le rythme, Frédou, me lance Zoé en me gratifiant d'un sourire moqueur. Et à traîner un crayon.

Je ne le sais pas, mais il me semble que c'est essentiel pour ton GGP, ajoute-t-elle avant de partir au pas de course vers le gymnase.

Et paf! Un clin d'œil taquin! Bon. Bon. Bon. J'ai compris, je suis désorganisée. Vite! Je dois me ressaisir. Et agir! J'ai de la misère à mettre de l'ordre dans mes idées. Quoi faire en premier? Aller au gymnase ou foncer vers le local du journal étudiant? Interviewer l'entraîneur de l'équipe ou demander conseil au rédacteur en chef? Ne rien oublier. Prioriser les actions. Faire une liste. C'est cela, faire une liste. J'y verrai plus clair! Mais... mais où est mon stylo?

Mes pieds ne veulent plus avancer. J'ai mal partout. On dirait que j'ai deux cents ans. J'ai l'impression d'avoir couru un marathon. Mon heure du dîner, je l'ai passée à galoper partout: de mon casier à la cafétéria, deux fois le trajet journal étudiant-gymnase, et de mon casier au cours de math. Chanceuse comme moi, ça ne se dit pas : cet après-midi, j'avais un cours d'éducation physique ! Eh oui ! J'ai cru mourir. On passait les tests d'endurance à la course. À la fin de l'épreuve, mes jambes tremblotaient comme des feuilles au vent. J'ai tout donné. Peut-être un peu trop. J'ai eu des spasmes de douleur durant tout mon dernier cours. Les formules mathématiques virevoltaient devant mes yeux. J'essayais de les comprendre et de faire fi des crampes qui envahissaient mes mollets. Zoé, qui est dans mes cours, semblait être au top de sa forme. Pas le moindre signe que ses jambes la faisaient souffrir, pas de rougeurs sur les joues, pas d'essoufflement et pas de transpiration. Moi, c'est tout le contraire. Mon visage est cramoisi, ma respiration bruyante et même si je me suis changée, mes vêtements dégagent une odeur peu invitante…

J'ai pris congé de l'entraînement de ce soir. Trop, c'est trop! Je ne tiendrai pas la route autrement. Je dois planifier mon GGP. C'est mon seul projet de la soirée outre mes devoirs. Ah non! Un autre : j'ai faim. Mon ventre vide gargouille bruyamment. Il réclame une énorme collation. Si je peux arriver à la maison, je me promets de m'écraser sur mon divan avec un bol de crème glacée, des biscuits et plein plein plein de fraises.

L'entraînement, c'est du sérieux. Bon, je me doutais que le basket-ball ne s'apprend pas tout seul et qu'il faut exercer sa dextérité et ses mouvements, mais pas à ce point. J'ai été soufflée ce midi en voyant les exercices auxquels se sont soumises toutes les joueuses... avec le sourire. Un sourire plus grand que tout. Un sourire complice. Chacune transpirait la joie franche qu'elle avait de retrouver les autres. C'était beau de les voir. Vraiment, encore plus que leur entraînement et leur agilité, c'est ce qui m'a étonnée et retenu mon attention. Je n'ai écrit qu'un mot sur mon calepin de notes : sourires. Je fais une étrange reporter...

En fait, c'est pourquoi j'ai couru au journal étudiant juste avant de revenir au gymnase pour mon propre cours de supplice... euh d'éducation physique. Une idée un peu folle m'a traversé l'esprit. Et si je ne faisais pas comme tout le monde ? (Ça, c'est tout moi !) Et si je bousculais un peu les règles ? Et si je faisais les choses à ma façon ? Et si je bifurquais du chemin habituel pour faire quelque chose qui me ressemble plus ?

Pas le temps de laisser mûrir mon idée. Qui sait, ma raison, mon esprit rationnel, le côté hyper logique de mon cerveau auraient peut-être pris le dessus sur ma spontanéité, ma créativité et mon audace, et j'aurais abandonné mon projet et ralenti mes ardeurs. J'ai foncé tout droit pour déballer en moins d'une minute top chrono à Raphael, le rédacteur en chef du journal, la petite lumière qui s'était allumée dans ma tête. J'ai demandé de faire des reportages de sports sans vraiment mettre toute l'attention sur la description détaillée du match. Je ne veux pas être que les yeux qui rapportent ce qu'ils voient. Je veux être celle qui ressent, qui voit plus loin que les déplacements et les stratégies. Je veux sentir l'esprit d'équipe pour la décrire. Je veux capturer les sourires qui ont des racines jusque dans le cœur des filles. Ce sera plus difficile, bien sûr, mais qu'importe ! Pour moi, c'est cela qui vibre et qui fait en sorte que cette équipe est spéciale. On voit que les filles n'y jouent pas juste pour passer le temps ou pour être en forme. Elles ont le basket dans le sang. Non, dans le cœur ! Raphael a écouté mon envolée passionnée et je pense qu'il n'a pas eu le choix de dire oui. Il a même ajouté que c'était peut-être grâce à des articles comme ceux-là – qui ne seraient pas axés que sur les prouesses sportives, la description minute par minute et le résultat final – que je parviendrais à intéresser un nouveau public à l'équipe féminine de basket-ball.

Je suis contente d'avoir osé et d'avoir suggéré un angle nouveau pour les articles sportifs. J'offrirai une vision plus humaine du sport. Chouuuuuuette ! C'est tout moi de croire que je peux arriver à changer un peu les choses. Si je ne l'avais pas fait, j'aurais passé mon année à rechigner intérieurement, pensant que j'aurais peut-être dû, j'aurais peut-être pu, etc. Je déteste cela, avoir des regrets... J'ai proposé. La suite ne m'appartient pas. Mais mon bout de chemin à moi est fait…

En arrivant à la maison, j'attrape un sac de biscuits, m'installe sur mon divan rose et décide de téléphoner à Zoé pour lui confier tout ce que je mijote. Oups! Bien sûr! Elle n'y est pas. Entraînement oblige! J'appelle alors Rosalie. Pas plus de réponse. Pareil chez Emma. «Elle est partie à la bibliothèque chercher des livres de recettes», me répond sa mère.

Un petit coup de déprime! Personne avec qui partager mes projets! Pourtant, même si je suis archifatiguée, tout se met en place dans ma tête. Vraiment, ma caboche est beaucoup plus en forme que mon corps! Elle fonctionne à plein régime, tandis que lui grince et ne demande que du repos.

Je décide de prendre un bain chaud pour me détendre et balayer un peu de fatigue. Je traîne même mon calepin avec moi. Qui sait maintenant quand les bonnes idées vont prendre ma tête comme maison ? Un bain, ça fait du bien ! Ça me force à arrêter un peu (difficile pour moi !), à m'isoler dans un lieu où mes actions sont limitées (encore drôle, j'ai un crayon et un cahier tout près !), et ça me calme. Le bruit de l'eau est un peu hypnotisant. Depuis que j'ai connu le murmure d'une rivière, on dirait que j'ai besoin d'un bain pour m'offrir une pause, pour faire une coupure, pour me rassurer, et pour me calmer, surtout ! Les yeux fermés, de la mousse partout autour, j'essaie de mettre un peu d'ordre dans tout ce que j'ai vécu durant la journée. Et dans mes idées, bien sûr ! Mon GGP se précise. Je sens que cette aventure ne me décevra pas. Un peu plus et je réussissais à dompter mes idées vagabondes et à somnoler un peu quand tout à coup deux mots s'illuminent dans ma tête, tel un néon, clignotant et flamboyant! «Les étincelles.» Comment se fait-il que je n'aie jamais fait le lien? Mon cerveau me joue des tours! Il a été volontairement aveugle? Il n'est plus affecté par l'influence de trucs qui semblent trop évidents? Ou il est immunisé par certaines informations parce qu'elles traînent depuis trop longtemps sous mon nez pour qu'on les remarque vraiment? C'est étrange! «Les étincelles», c'est le nom de l'équipe de basket-ball. Vrai de vrai! Étincelles = feu d'artifice = yeux des joueuses qui brillent = sourire = vœu = bonheur = article. Le schéma se dessine. Tout est clair. J'ai mon premier sujet d'article. Youpidou!

Emmaillotée dans une serviette, les cheveux dégoulinants et laissant des flaques d'eau sur mon passage, je me précipite dans ma chambre. Vite, mon ordi! Vite! Vite! Rien n'est assez rapide pour moi. J'ai les idées qui tourbillonnent.

Je griffonne dans mon cahier pour ne rien perdre tandis que mon ordinateur prend une éternité à afficher enfin une page blanche!

Je tape avec frénésie. Mon texte est court, mais percutant! Puisé dans l'encre de mon cœur et non pas dans ce qu'ont capté mes yeux. J'écris ce que mes émotions me dictent, je traduis les perceptions de toute mon âme. Pour moi, écrire n'est pas que raconter. C'est sentir, aussi. Vibrer. Transmettre. Écouter beaucoup. Et partager.

Alors que je pianotais sur mon clavier, créant une musique technologique-électronique avec le rythme endiablé de mes doigts frappant sur les touches, je n'ai même plus pensé ni à ma faim (pas même à la crème glacée ou aux fraises!), ni à ma fatigue, ni même aux courbatures dans mes jambes. Avoir un bon flash, c'est efficace comme traitement. Je prévois prendre des bains encore plus

souvent si ça me permet de trouver l'inspiration, si ça me permet de « laver »
mes idées !

Durant la soirée, j'ai poursuivi sur ma
lancée, si bien que mes devoirs ont été
bouclés rapidement, et j'ai enfin joint
Zoé au téléphone pour une jasette sportive. Elle m'a expliqué avec précision
quelques règles de base du basket-ball et
m'a mise au courant de certains potins.
L'équipe féminine et l'équipe masculine
se rassembleront une fois par semaine – le
mardi, donc demain ! – pour des matchs
amicaux. Une façon de créer une unité
« basketballienne », comme dit Zoé en
rigolant. Elles dîneront même ensemble,
ce qui a paru – grâce à mon flair cupi-
donesque, je suis capable de faire des
jeux de mots, moi aussi – bien émous-
tiller Zoé. Elle semble pas mal emballée
par cette perspective, probablement

parce qu'il y a un gars dans cette équipe qui fait accélérer son rythme cardiaque. Elle a tout nié quand j'ai posé des questions. Mais je me fie à mon intuition. Et je verrai bien demain ce que je sentirai! Personne ne peut berner mon flair en matière d'affaire de cœur! Je suis aussi la spécialiste pour lire entre les lignes! Mieux, je soumettrai les faits à l'analyse pointue de Rosalie au besoin; on percera le mystère, foi de Frédou! Je pense que Zoé va faire de beaux rêves...

J'ai dû raccrocher, car nulle autre que mon excentrique de mère est venue s'installer dans mon divan à côté de moi, entortillée dans sa doudou bleue. Plutôt flagrant comme avertissement qu'il est l'heure que je termine mon appel. Même si la fatigue s'infiltrait avec insistance en moi, j'ai pris le temps de placoter avec ma maman. Je l'ai mise au parfum de mon initiative à propos de mes reportages.

— T'es heureuse d'être revenue, Frédou ? m'a-t-elle demandé en me fixant droit dans les yeux.

Dans ce temps-là, impossible de me défiler. Seule la franchise est acceptée.

— Oh oui ! ai-je lancé dans un long soupir.

Et j'ai enchaîné, en laissant naître sur mon visage un sourire d'une douceur fragile, avec la description détaillée de ma journée mouvementée.

Qu'est-ce qu'elle a fait, ma mère ? Elle m'a écoutée. Elle a rigolé. Elle m'a posé des questions pour que j'explore d'autres idées et pour que j'ose fouiller dans les recoins de ma créativité afin de trouver d'autres façons de réaliser à ma façon mon GGP. Ma mère, elle est comme cela. Pas compliquée pour deux sous. Et surtout, pour elle, ce qui est important plus que tout, c'est d'essayer, de se tremper, comme elle dit parfois. « Tu es mieux de vivre avec des remords que

des regrets, ma belle Frédou ! » Je le sais !
Elle l'a répété assez souvent !

Comme quand j'étais petite, je me
suis étendue et j'ai posé ma tête sur ses
genoux. Doucement, sans rien dire, sans
même avoir besoin de lui demander, elle
a compris. Entre nous, c'est ainsi ! Il y a
certains rituels avec lesquels on renoue
rapidement. Spontanément, elle a fait
nager ses doigts dans mes cheveux et
les a plongés au fond de ma tignasse
ébouriffée. Elle a lissé lentement des
mèches pour ensuite les entortiller avec
délicatesse. Puis, en ouvrant les doigts,
elle a laissé retomber mes cheveux. Cela
créait des vagues molles et souples.
Maman m'a aussi caressé doucement
le front, les tempes et la nuque, et elle
a recommencé ce parcours plusieurs
fois. Pas un mot n'est sorti de sa bouche.
Toute son énergie était concentrée
pour m'écouter. M'écouter vraiment.
Parce qu'il paraît que c'est tout un art

d'écouter sans assommer l'autre de conseils, d'avis, de jugements ou d'avertissements. Le baromètre intérieur de ma mère, c'est le bonheur. Si on est heureux, si on se sent bien, si on est certain d'être là où on devrait être, si on agit et pose des gestes en concordance avec nos valeurs et nos convictions et qu'on est capable de se regarder fièrement dans le miroir, eh bien, c'est tout ce qu'on devrait espérer de la vie. Elle est spécialiste en matière d'écoute. Et en plus, elle a une bonne oreille, car elle écoute très très bien son cœur. On est revenues vivre ici après seulement un an d'exil à la campagne, car elle a rencontré un amoureux gentil. Elle a foncé tout droit vers son bonheur et du coup a gonflé le mien : je revenais auprès de mes amies. Pendant qu'elle me flattait les cheveux, je lui ai ouvert mon cœur sans crainte. Quand je suis installée sur ses genoux, en pleine séance de massage de cheveux et de minouchage, je sais que je peux tout lui dire. Cette technique m'apaise, me réconforte et me calme. Ainsi, je suis totalement libre de tout lui raconter. Aucune retenue. Aucune hésitation. Et de toute façon, ma mère a un autre don spécial : je pense qu'elle est un peu sorcière. Elle est capable de lire dans mes soupirs, elle décode mes silences et elle décortique rapidement mes hésitations. Je suis un peu comme elle, mais j'ai encore quelques croûtes à manger ! Ma mère déchiffre même mon regard et ma gestuelle. Pas évident de côtoyer une force magique aussi puissante, mais c'est rassurant. Je peux compter sur elle. Tout le temps. Et quand j'y pense, certains soirs – c'est toujours le soir qu'on pense à des trucs comme cela, c'est étrange ! –, je me surprends à prier pour que ça ne change jamais. Jamais. Jamais. Ça me fait peur... Chaque fois que j'y pense, je me mets à frissonner. C'est une pensée que je repousse de toutes mes forces mentales...

J'ai serré ma mère bien fort quand elle est partie. Grâce à cette jasette, j'ai réalisé que j'avais fait le bon choix pour mon GGP et que j'étais sur la bonne voie pour vivre un automne merveilleux. Aussi tourbillonnant que la danse qu'entameront bientôt les feuilles des arbres...

Une fois ma mère repartie dans sa chambre, sa question me restait dans la tête, comme emprisonnée là. C'était un signal, je le savais. Un signal que mon cerveau m'envoyait. Une indication qu'il y avait un petit problème. Quelque chose clochait, un élément restait un peu flou. Mais qu'est-ce qui n'était pas clair ? Je devais trouver. Je ne pouvais pas laisser ce doute en suspens.

Je me sentais étrange, un peu comme si je n'avais pas fourni exactement la bonne réponse. Pourtant, ce n'est pas le cas. Je sais que j'ai répondu avec mes tripes. Alors quoi ? Je ne peux pas m'être trompée ; tout est vrai dans ce que j'ai dit. Je n'ai rien caché. J'ai même confié des trucs que je ne pensais pas dire à ma mère. Je n'ai pas embelli la réalité ni faussé les données.

Tout à coup, j'ai compris. Et je n'ai même pas eu besoin de prendre un bain : je n'avais pas retourné la pareille à ma mère. Je ne lui ai pas demandé comment elle allait et si elle était heureuse. Ça, c'est moi ! Je parle, je parle, je parle… Je réponds à toutes les questions, sans détour. Mais j'oublie de questionner les autres… Ça s'annonce mal pour ma carrière de journaliste… Il faut absolument que j'améliore mon empathie. Il faudrait aussi que je prenne un peu moins de place parfois. Je parle haut, fort, sans retenue, mais mon écoute est moyenne…

Je me sens moche. Surtout avec mon souhait que ça ne change jamais entre ma mère et moi. Mais bon, je peux sûrement me reprendre. J'ai voulu réparer ma gaffe en allant tout de suite lui poser la question, mais sans même avoir eu le temps de mettre un pied par terre, je l'ai entendue ronfler. Chanceuse ! Moi, je ne m'endors pas si vite. Surtout quand une spirale d'idées totalement hyperactive fonctionne à plein régime dans ma tête. Réussir à la ralentir exige que je me calme. J'y parviens parfois en répétant inlassablement une phrase apaisante. Mon mantra favori à l'heure du dodo est : « L'eau coule doucement sur ma rivière calme. » En la répétant souvent et à voix haute, je finis par dompter mon esprit trop allumé. C'est ma sorcière de maman qui m'a refilé ce truc. Elle m'a suggéré de l'exécuter chaque fois qu'une émotion intense s'empare de moi – avant un examen, une présentation orale, un spectacle ou même de parler à un gars que je ne connais pas – et que je désire l'atténuer un peu.

Je ne pouvais donc pas la réveiller pour reprendre notre conversation. Je me suis levée avec précaution pour ne pas trop faire de bruit et j'ai été chercher un cahier de notes. J'ai déchiré un bout de papier et j'y ai inscrit:

JE T'♥ + que les ★★★.

C'était une sorte de rébus ou de code de complicité. Elle allait comprendre et instantanément, en voyant mes grif-fonnages, elle allait sourire. J'anticipais déjà son bonheur. Prévoir faire naître un sourire ou briller les yeux, c'est tel-lement plaisant! J'adore préparer des surprises qui font du bien.

En revenant à pas de loup vers ma chambre, dans la lumière mauve de la nuit, je me suis dit que je lui ressemblais beaucoup, à ma petite maman aux mille idées. Beaucoup plus que je le crois. On carbure aux GGP et on ne vise rien de moins que le bonheur, un bonheur qui nous rassemble, un bonheur unique, un bonheur chaleureux et enveloppant, et surtout un bonheur qu'on peut répandre autour de nous pour en faire profiter les autres. Vraiment, grâce à mon hérédité, j'ai moi aussi cette propension au bonheur !

Au lieu de me glisser dans mon lit, j'ai opté pour m'enrouler en boule dans ma couverture et dormir directement sur mon divan rose. Je sais que demain soir ma mère et moi recommencerons notre conversation là où on l'a arrêtée. Si le week-end mon divan est le repaire de mes amies et moi, la semaine, il devient aussi le haut lieu des jasettes mère-fille. Ce soir, étendue sur le divan, faisant face à ma porte-fenêtre d'où perce la lumière de quelques étoiles entre les pans de mes rideaux, je sens encore une chaleur réconfortante émaner de ce meuble puisant sa source dans les cœurs qui viennent, sur lui, se confier tels des coffres aux trésors. Mon divan, c'est vraiment le meilleur gardien des cœurs, autant de leurs tourments et leurs confidences que de leurs envolées passionnées et leurs explosions de bonheur !

Enfin, tout se place...

Quand je me suis réveillée, un rayon de soleil sur le bout du nez, j'ai eu un drôle de pressentiment. J'ai d'abord mis cela sur le dos d'une fatigue qui traîne. J'ai dormi les jambes presque par terre et la tête en dessous de mon oreiller. On ne peut pas dire que c'était la position idéale pour roupiller. Courbatures et raideurs, sûrement des relents de ma journée d'hier particulièrement exigeante, m'ont fait souffrir à un tel point que j'ai eu de la difficulté à étirer tous mes muscles. Aussi, mes heures de sommeil n'étaient pas très nombreuses, parce que je ne me suis pas endormie à la même vitesse éclair que ma mère. Décidément, ce matin, j'avais de la misère à mettre la machine Frédérique en branle.

Je n'étais pas non plus encore habituée à la routine scolaire. Mon corps réclamait le retour à l'horaire des vacances d'été. Mais c'était impossible, je le savais! J'ai sauté dans la douche sans vraiment ouvrir les yeux, juste le temps de piger une paire de jeans et un t-shirt dans le bac de vêtements (propres, quand même, mais que je n'avais pas pliés la veille... Oups!), et me suis dirigée comme une zombie courbaturée vers la salle de bain. Pendant que je me savonnais, j'ai entendu un drôle de son. J'ai d'abord cru que je rêvais encore... Puis, l'insistance des coups martelés sur la porte m'a sortie de ma torpeur et une pensée s'est mise à clignoter dans ma tête. « Étrange quand même! Je me suis réveillée avant mon réveil! » Mon réveil? Quel réveil? Au secours! Je n'avais pas réglé la sonnerie la veille avant de m'endormir... Oh là là! Alors, j'ai tout compris. Les coups, c'est ma mère qui cognait à la porte. Pour mieux me convaincre, elle a expliqué ce que je venais de comprendre : j'étais en retard. Elle criait à travers la porte.

— Fred ! Sors de la salle de bain ! J'ai besoin de mes verres de contact ! Je viens tout juste de me lever ! Je suis en retard... toi aussi ! Je vais te laisser des sous pour ton lunch ! Dépêche ! Je vais aller te reconduire à l'école. Ton premier cours commence dans exactement 13 minutes !

Jamais une fille n'a fait aussi vite pour sortir de la douche, s'habiller, rapatrier tous ses cahiers et ses livres, enfiler ses chaussures et sa veste et sauter dans la voiture ! Je mériterais sûrement une médaille ou un trophée... ou encore une montre en cadeau !

En me déposant devant l'école – on est arrivées une minute avant la cloche, ce qui est une avance remarquable dans nos conditions ! –, ma mère m'a fait un clin d'œil en agitant le message que j'ai laissé la veille près de son lit. J'ai souri en pensant qu'il faut les attraper, les petits bonheurs, tous, même si le temps file! Autrement, on ne sait pas s'ils reviendront...

On peut dire que j'avais de la broue dans le toupet en arrivant en classe. Rosalie m'a accrochée avant que j'entre dans mon premier cours. «Oh! Frédérique! C'est une nouvelle mode, ce style mouillé pour les cheveux ou quoi?» Elle a rigolé. Emma s'est aussi gentiment moquée quand elle est passée devant moi. Elle s'est approchée et m'a chuchoté: «Fred, la rentrée ça ne te fait pas! En passant, tu portes ta veste à l'envers...» J'étais d'un chic pas possible! Zoé, quant à elle, croyait que j'avais commencé à jogger le matin! Elles sont comiques, mes copines! Mais je les aime! Je pourrai bien les taquiner une autre fois...

Puis, les cours ont commencé. En avant-midi, on en enchaîne trois de suite entrecoupés de petites pauses de huit minutes. Je n'ai pas eu le temps de trop réfléchir, mes professeurs se sont chargés de bien m'occuper. Même si je suivais bien ce qu'ils disaient, prenant des tas de notes, suivant dans mes cahiers, faisant tous les exercices demandés, je ne pouvais pas m'empêcher d'avoir hâte que midi arrive. Pour manger, certes! Je n'avais avalé qu'un muffin vite fait ce matin et bu quatre gorgées de jus d'orange. Mais surtout, pour assister au premier entraînement mixte des équipes de basket. Yahoo! Quand j'y pense, ça fait déjà battre mon cœur plus vite. En me concentrant sur mes cours, je n'ai pas vu les minutes s'égrener. Tout a passé plus vite! De plus, je ne serais pas en retard dans les exercices à compléter le soir comme devoirs.

Reste que j'ai eu des fourmis dans les jambes pendant toute la matinée. Un autre symptôme signifiant que j'avais méga hâte. Ou alors ce n'était que mes muscles qui reprenaient vie… Quoi qu'il en soit, quand la cloche du midi a finalement sonné, j'ai rebondi sur ma chaise, propulsée par un élan presque insoutenable : je n'en pouvais plus d'attendre et d'user de toutes mes forces pour me concentrer. Enfin, vrai de vrai, c'était le temps de faire une action concrète pour mon GGP. Youpidou !

C'était énervant. Excitant, aussi. Stimulant, bien sûr. Mais surtout expéditif ! On a exactement 65 minutes pour luncher, alors il faut que je sois organisée. Je n'ai pas eu le temps ce matin en déjeunant de planifier cette heure avec exactitude (c'est ce que j'avais prévu !). Je ne savais pas trop où donner de la tête. Premièrement, je devais manger. J'ai donc foncé vers la cafétéria, ai attrapé un wrap au thon et l'ai engouffré rapidement. J'ai bu mon lait au chocolat en me dirigeant vers le gymnase. Vérification obligatoire : je jette un coup d'œil au fond de mon sac pour m'assurer que mes crayons (je ne prends pas de risque, j'en aurai plusieurs juste au cas où un refuserait d'écrire !) et mon calepin y sont.

Je suis arrivée la première au gymnase. Avant même les équipes ! Faut le faire ! Plus personne ne mettra en doute ma ponctualité, désormais ! J'ai eu le choix. J'ai grimpé sur une estrade et j'ai choisi la rangée la plus haute pour pouvoir avoir une meilleure vue d'ensemble. Là, juchée sur mon perchoir, j'ai déballé mon attirail de journaliste et j'ai discrètement mangé deux barres tendres. On n'a pas le droit de manger dans le gymnase, mais j'ai rapidement avalé ma collation… Je devrai toutefois améliorer ma vitesse, car j'avais encore la bouche pleine quand l'entraîneur en chef des équipes – et aussi mon professeur d'éducation physique – m'a interpellée sur un ton joyeux.

— Content de te voir là, Frédérique, m'a lancé Louis. Prête pour analyser notre pratique ?

— Mufh mufh…

— Ahh ! Je vois… t'avais un petit creux ? Sois discrète et que je ne t'y reprenne pas. Il est interdit pour les joueurs d'arriver avec de la nourriture sur le terrain. Pas de passe-droit pour toi ! Tu fais comme partie de l'équipe maintenant, puisque tu seras toujours là ! Alors tu te plies à nos exigences… Mais là, on va dire que je suis momentanément aveugle et que je n'ai rien vu. D'accord ?

— Promis, coach !

Message capté 10 sur 10. Par chance, Louis n'est pas du genre à se fâcher. Désormais, les règles sont claires et bien établies. Je dois m'y soumettre et je vais le faire. Avec le grand sourire, car un bout de phrase de Louis m'a fait vraiment plaisir. Il a dit que je faisais partie de l'équipe. Moi! Youpi! Je sais bien que, si les équipes gagnent, je n'aurai pas vraiment de mérite. Ce ne sera pas grâce à moi. Je ne ferai pas de vrais paniers. Mais je vais contribuer à ma façon au rayonnement de leurs succès et surtout à raviver l'intérêt de l'école pour nos joueuses (et joueurs!) de basketball. C'est en ce sens que je fais partie de l'équipe! Trop génial! J'ai senti une pointe de fierté monter en moi.

C'est vrai, au fond! Pour qu'une équipe sportive ou un chanteur soit reconnu, admiré ou populaire, il faut que les gens et la population aient eu la chance d'en entendre parler. Les magazines, les quotidiens, la publicité, la radio, la télé, Internet, ce sont les moyens pour faire circuler l'information! Ensuite, tout fait boule de neige. L'info se promène dans chaque maison, les gens s'en parlent dans la rue, au bureau, dans les maisons, partout! Une fois leur curiosité touchée, ils cherchent toujours à en savoir plus et à connaître les dernières nouvelles. Ils se sentent concernés! Au hockey par exemple, si on ne parlait jamais des Canadiens de Montréal, personne ne prendrait autant à cœur leurs victoires. Chaque fois qu'un joueur compte un but, c'est comme si c'était quelqu'un qu'on connaît et on se sent terriblement fiers! Ici, à l'école, c'est la même chose. Si on veut que les gens s'intéressent plus au basket-ball, si on veut que l'école investisse des sous pour l'achat de nouveaux chandails ou si on désire qu'il y ait des spectateurs aux matchs, il faut en parler ! Il faut que la population de l'école soit au courant de ce qui se passe et découvre sous un autre jour l'équipe de basket. Et de fait, on sera plus fiers. Les élèves, les professeurs, la direction et tous les employés de l'école se sentiront fiers d'eux à travers les Étincelles ! Je serai celle qui ravivera la flamme du basket-ball ! Je suis celle qui transportera l'information. Je ne suis peut-être qu'un petit maillon dans une grande chaîne, mais qui sait si ma participation n'aura pas une petite influence sur les activités et la renommée de l'équipe. Qui sait ! Reste à espérer que les performances des Étincelles soient éclatantes. Ce serait plus facile à rapporter qu'une longue série de défaites, disons !

— Fred ? ? Freeeeeed ?

— Oh, Zoé ! Je ne t'ai pas vue arriver !

— J'ai remarqué ! T'es dans la lune, Frédou ! Comme d'habitude ! À moins que tu mijotes un autre projet ou que tu dresses les plans pour réaliser un rêve...

— Ouin, disons que c'est cela! Je rêvais... Je rêvais grand, même!

— Ça ne me surprend pas, Miss-la-Lune! N'oublie pas de prendre des notes, là!

Comme prise en faute, j'ai ramassé en vitesse mon cahier et mon crayon, question de me donner un air sérieux (et non rêveur!). Quand je sors de la lune, je suis terriblement maladroite. On dirait que je n'ai pas encore les pieds (et les mains!) sur terre, alors j'ai bien failli tout échapper... J'ai rougi instantanément en souriant à Zoé. Je n'aime pas être prise en défaut. Je suis censée être une journaliste sérieuse et là je ressemblais plus à une gaffeuse rêveuse. Oups! En effet, sans m'en rendre compte, j'étais partie dans la lune. C'est si puissant quand je pars au cœur même de mes idées et que j'imagine comment le futur pourra se dérouler que j'en perds un peu la carte ! Plongée dans mes pensées, comme dans un sous-marin étanche où nul son ne m'atteint ni ne me dérange, je n'entends rien et je ne vois plus rien. La preuve ? Je n'ai pas entendu les joueurs et les joueuses faire leur entrée dans le gymnase. Je n'ai pas perçu le son des ballons qu'ils driblaient pour se pratiquer. Il faut le faire ! Une chance que Zoé me connaît bien et qu'elle est venue me jaser ; autrement, qui sait ? Je serais peut-être restée dans cet état onirique pendant toute l'heure ! Plus j'y pense, plus ça me gêne ! Mais c'est plus fort que moi ! Je dois rester vigilante durant mon heure de travail. La rêverie, je garderai cela pour mon heure… du bain !

Puis, en me faisant un clin d'œil, Zoé est partie rejoindre ses coéquipières et je me suis mise au boulot.

Au départ, je ne comprenais pas bien ce qui se déroulait sous mes yeux. Pas facile pour une non-habituée – et une non-sportive – de comprendre que l'entraînement commence par une séance d'exercices et d'échauffements. Tous les joueurs s'alignent en courtes rangées pour exécuter avec précision une série de mouvements. J'imagine que ça développe leur force et leurs muscles. J'ai noté quelques questions dans mon cahier. Il faudra que Zoé m'explique plus en détail. Ensuite, ils courent autour du gymnase pendant ce qui m'a paru une éternité, mais c'était en fait une dizaine de minutes. Leur course était étourdissante et me propulsait presque dans un état de méditation. Une trentaine de personnes qui tournent toutes dans le même sens, suivant un flot régulier, ça fait le même effet qu'être hypnotisée. J'ai senti que je décollais, que je planais au-dessus de la réalité et que mes idées repartaient dans toutes les directions... Puis, je l'ai vu. Lui. Il n'a rien de particulier au premier coup d'œil. Sérieux, il ne se démarque pas des autres joueurs parce qu'il est plus fort, plus grand ou plus musclé. Non! Il se fond dans la masse. Ordinaire. Simple. Discret. À son affaire. Ni le fanfaron qui veut montrer qu'il est le meilleur ni le comique qui cherche à faire rigoler les autres en lançant des farces douteuses. Mais quand Louis, l'entraîneur, a dit quelque chose, sûrement drôle, pour que ses joueurs arrêtent de courir – je n'ai rien entendu, j'étais trop loin – et que tous se sont esclaffés en arrêtant leur course, c'est à ce moment précis que mes yeux l'ont repéré. Quand il rit, tout son être rayonne. Il devient incandescent. Il est une lumière dans la lumière. Spectaculaire. Son sourire est charmeur. Quand il a éclaté de rire, la blancheur de ses dents contrastait avec son teint un peu basané. Soit il a passé l'été sur une plage, soit il a des racines latines. Sa bouche se relève un peu plus de ce côté comme si une ficelle de pantin tirait doucement à partir de la commissure gauche de ses lèvres. Ça lui donne un petit air espiègle et taquin. C'est d'un charme désarmant ! Je ne comprends pas que les filles de l'équipe ne le remarquent pas et ne soient pas déconcentrées par lui...

Et comme allant de pair, son sourire époustouflant se jumelle à des yeux qui prennent vie tout à coup. Ce qui est surprenant, c'est que ses yeux ne sont pas d'un bleu azur ou encore bleu sombre comme les profondeurs de la mer infinie. Ce serait trop classique. Du déjà vu dans mille films et autant de publicités. Non, il a des yeux bruns. Brun foncé. Bruns, tout simplement. On dirait des billes qui, tout à coup, par la magie d'un sourire décoché, se parent

de centaines de reflets dorés. Et ça fait
« PING ! ». Des yeux explosifs qui volent
la vedette à tous les autres autour. On
aurait presque dit des feux d'artifice...
Des yeux vifs et éclatants pour un gars
qui est tout de même assez discret. Ne
dit-on pas que les yeux sont le miroir
de notre âme ? La sienne est sûrement
spéciale. On le voit aussi dans son visage
qu'il n'est pas le clone de tous les autres.
Il est beau sans s'en rendre compte. Il
est beau, mais n'en fait pas tout un plat.
Et surtout, on voit bien dans son visage
qu'il est heureux. Autrement, quand on
n'est pas totalement bien avec soi, on
ne peut pas rayonner autant que lui. Et
c'est là qu'on cherche à attirer l'attention
sur nous ou à se montrer mieux que les
autres, plus fort, inébranlable même,
alors qu'en dedans de nous, on tremble
comme une feuille.

En tout cas, ce n'est pas son cas. Il
est loin d'être un gars banal, j'en suis

certaine, même si, pour l'instant, je ne connais pas grand-chose sur lui. Puisqu'il porte le dossard numéro 9, je le surnommerai Monsieur 9 en attendant de mettre la main sur la liste des joueurs pour connaître son prénom. Quoique... Zoé pourra me le dire!

Ah! Ha! C'est cela. Zoé! Les connexions se font dans mon cerveau. Tout devient clair (et ce, sans bain!). C'est de lui qu'elle parlait à demi-mot. Monsieur 9 n'est nul autre que LE gars dont elle essayait de me cacher l'existence. Je suis trop certaine de mon coup! Zoé ne peut être cachottière avec moi! J'ai du flair pour détecter ce qui se trame. Pas de doute! Ce gars lui est tombé dans l'œil... et je la comprends parfaitement! Il est tellement tout...! Il lui ressemble aussi. Zoé n'est pas du genre à désirer à tout prix être sous les lumières des projecteurs. Elle est une force tranquille et discrète. Essentielle pour le bien de l'équipe. Je ne l'ai jamais entendue attribuer le succès de son équipe à sa seule contribution. Elle n'est pas celle qui se place devant les autres. Ses performances, quoique remarquables, elle ne s'en vante pas. La vraie gloire pour elle, c'est l'effort du groupe et les succès collectifs.

Les parallèles entre elle et Monsieur 9 sont faciles à établir. Les similitudes relèvent de l'évidence même! Je suis fière de moi! Pfft! Voyons! Zoé n'aurait pas pu me cacher cela trop longtemps. Monsieur 9 est trop... trop... trop spécial. Et je suis journaliste; je me dois de flairer les scoops et les histoires extraordinaires. Je pense que j'en tiens une...

Je suis impatiente de retrouver mon amie pour à mon tour lui servir quelques clins d'œil qui en diront long. Elle ne pourra pas m'échapper. Je la tiendrai comme un poisson au bout d'une ligne à pêche et je suis prête à parier que je n'aurai pas à la cuisiner longtemps pour qu'elle avoue son nouveau coup de cœur…

Disons que je me suis égarée de l'entraînement! Quand Louis a fait retentir son sifflet pour dire qu'il restait 10 minutes de joute avant la fin de la séance, j'ai encore une fois sursauté. Les joueurs avaient commencé un match et je n'avais rien vu. Rien noté. Oh là là! Pourquoi suis-je si déconcentrée? Pourquoi est-ce que je n'arrive pas à fixer mon attention? En baissant les yeux sur mon calepin, j'ai compris… Il n'était gribouillé que par quelques maigres notes… dont NUMÉRO 9 écrit en lettres majuscules au centre d'une page et entouré des dizaines de fois. Voilà la raison de ma «non-concentration» et du déraillement de ma pensée!

Petite panique! Je dois produire un texte. Je dois avoir quelque chose à dire et à partager. Je ne peux pas écrire 250 mots sur Monsieur 9, quand même! Je suis dans le pétrin... Alors je prends les cinq dernières minutes pour noter ce que je vois et surtout ce que je ressens. Le tout en essayant, bien sûr, de tenir loin de mon esprit le désormais célèbre Monsieur 9. Pas facile. Mais je persiste. Je note quelques idées dans mon cahier. Tout va bien! Je suis en contrôle et le sujet de mon feuillet pointe dans mon esprit. Je parlerai du lien silencieux qui unit une équipe lors d'un entraînement. C'est sûrement là qu'on peut voir si cette équipe se tient ou pas. Ici, c'est du solide. C'est apparent! Clair. J'écris une dizaine de phrases rapidement. C'est tout croche, presque illisible, sûrement bourré de fautes, mais pas question de laisser filer mes observations et mes idées. Je ferai le ménage, élaborerai des phrases plus jolies et changerai des mots pour que mon message soit précis, mais ma base est là. Mon texte est presque écrit. Je ne ressens plus l'angoisse de tantôt. Et tout cela en 10 minutes! Alors que j'étais en train d'autolouanger ma capacité de concentration, voilà que le sifflet résonne dans le gymnase, faisant frétiller tous les tympans. Les joueurs se félicitent... et PAF! Je suis à nouveau frappée par le sourire et les yeux de Monsieur 9. Les fils qui me retenaient à ma concentration se brisent et je me sens repartir dans ma tête... et mon cœur! Faut absolument que je parle à Zoé. Rapidement.

En moins de temps qu'il n'en faut pour exécuter un fameux clin d'œil, je lance mes trucs dans mon sac, me lève en vitesse et vais rejoindre Zoé dans le vestiaire. Oups! Les filles n'ont aucune gêne ni aucune pudeur. Elles se déshabillent en parlant comme si de rien n'était. Moi, j'en suis certaine, j'ai rougi. Pas que je me cache, mais je n'aime pas tellement me changer devant un groupe. Devant Emma, Rosalie ou Zoé, ça peut aller. Même ma mère... quoique des fois, je me dépêche et me contorsionne pour qu'elle me voie le moins possible. Ici, les filles s'esclaffent, prennent une douche, s'enveloppent sommairement d'une serviette, résument leur entraînement, font un million de commentaires, etc. Aucune n'a l'air intimidée. En fait, aucune ne semble regarder les autres. Toutes font abstraction de leur presque totale nudité. Pour elles, tout semble normal. C'est moi qui détonne en étant tout habillée... Mal à l'aise et ne sachant pas trop où regarder, j'essaie de faire signe à Zoé de se dépêcher. Des bouffées de chaleur m'envahissent. J'ai hâte de sortir; je ne me sens pas dans mon élément. Étrangement, Zoé n'éprouve aucun problème. Même que je dirais qu'elle est moins réservée que lorsqu'elle est avec Emma, Rosalie et moi. Elle, c'est clair : elle est à sa place (pas moi !). Elle est beaucoup plus extravertie qu'à l'habitude tandis que moi, je suis en train de fondre alors qu'ordinairement je rayonne et prends beaucoup de place. Là, si je pouvais me faire toute petite, minuscule, je le ferais.

— Heu... Zoé ? Heu... tu viendras... heu... me rejoindre... Je vais... heu... t'attendre à l'extérieur.

J'ai dû battre le record mondial du bafouillage. J'ai probablement prononcé le dernier mot à l'extérieur du vestiaire. Alors que Zoé se débrouille comme un poisson dans l'eau, je suis aussi agile qu'un éléphant. C'est pathétique ! La leçon est claire : fini les vestiaires !

Adossée contre le mur de briques, à côté de la porte des toilettes des filles et en face de celles des gars, j'essaie de reprendre mes esprits qui ressemblent, pour l'instant, à une espèce de bouette indéfinissable et difforme. Pour m'achever et pour contrecarrer mes efforts de retrouver un teint normal, exempt de rougeurs, qui est-ce qui sort par la porte devant moi? Eh oui! Monsieur 9 lui-même! Et il me sourit! Un sourire rien que pour moi. « Respire, Fred! Respire! » me supplie mon cerveau. Je constate que mon cœur fait mille tours. « Hé oh! Mon cœur! On se calme un peu. On essaie de rester tranquille... » Voilà que je me mets à me parler. Décidément, il est temps que Zoé fasse son apparition et que je m'éloigne des vestiaires. Leur proximité me perturbe. Je ne suis plus moi-même.

— On se voit mercredi, les filles! Bye! lance une Zoé totalement radieuse en sortant du vestiaire. Autour d'elle se propage un parfum frais de romarin et de citron tandis qu'elle salue ses coéquipières.

— Enfin ! On déguerpit ! Vite ! J'ai tellement chaud !

— T'as chaud et tu n'as fait que prendre des notes. Qu'est-ce qui se passe ?

— Ah ! Un tas de trucs bizarres. Depuis ce matin, en fait, que je ressens un drôle de pressentiment… mais ne change pas de sujet, ma belle ! J'ai tout vu ! Tout ! Tu ne peux rien me cacher !

— Je dois passer à la bibli avant d'aller au cours. Pars devant ! On se rejoint là.

— Minute, Zoé ! Tu ne t'en sortiras pas aussi facilement. Avoue ! C'est quoi son nom ? Hein ? Il t'est tombé dans l'œil. Il est en deuxième secondaire ?

— Je ne vois pas de qui tu parles, rétorque Zoé, levant les yeux au ciel en poussant la porte de la bibliothèque.

Rougir est contagieux! Je remarque en effet que c'est Zoé qui en est désormais victime. J'aime presque mieux cela ainsi... Je retrouve mon aplomb et malgré ses essais – qui resteront infructueux –, je garde le cap sur mon interrogatoire. Non. Non. Non. Zoé ne s'échappera pas à la bibliothèque pour éviter de répondre. Je la poursuis. Rien de moins. Je la talonne et, telle son ombre, je me place derrière elle dans la file pour récupérer un livre réservé.

— Dis-moi son nom! Juste son nom!

— Chutt! Frédou, on ne peut pas parler dans la bibliothèque. Tu le sais bien, me chicane Zoé pour ne pas répondre.

— Joue pas à ça avec moi! Tu vas me le dire! Écoute, c'est clair! Bon, ok! J'avoue! Au premier coup d'œil, je ne l'ai pas remarqué, mais quand il a souri, c'était assez puissant!

— Chut! Chut!

— Zooooé… Je ne comprends pas, en fait. Tu trouves qu'il est ordinaire ? Sans plus ? T'es bizarre ! Toutes les filles le reluquent ? J'ai pas remarqué ça…

— T'es une drôle de journaliste ! T'as pas le goût de te choisir un livre pour t'aider ? Regarde ce que j'ai pris. Ça va m'être utile surtout avec toi qui essaies de me déconcentrer encore plus que je le suis, me dit-elle en me montrant son bouquin, *Rester motivé en 15 trucs infaillibles*.

— Ah ha ! T'avoues que tu es déconcentrée ! Dis-moi son nom… De toute façon, je vais le savoir si je le demande à Louis et là je pourrai faire des graffitis partout avec Zoé + Monsieur 9 pour te punir de m'avoir fait languir. À moins que tu aimes mieux que je l'écrive dans le journal. Allez…

— T'as dit quoi ? Monsieur 9 ?

— Je l'ai surnommé comme ça. Je ne sais pas comment…

— Ben ton numéro 9, c'est pas lui du tout. Tu croyais que c'était lui ? Pour vrai ! T'es bizarre ! Il est tellement réservé. Il ne dit presque jamais rien. C'est le numéro 7, tu sauras ! T'es tellement sur une autre planète...

— Hein ?

— Ben oui ! Puisque tu insistes et aussi parce que je sais que tu pourrais mettre ton plan diabolique à exécution... je vais démêler le tout ! Les filles et moi, c'est sur Monsieur 7, alias Carl, qu'on a un œil. Il est si... si... si tout ! Et ton Monsieur 9, c'est...

Zoé éclate de rire, incapable de terminer sa phrase. Un fou rire interminable. Quelque chose de presque irréel. Je ne comprends pas ce qui la fait rigoler autant. Chaque fois qu'elle est sur le point de se ressaisir et qu'elle lève les yeux vers moi, elle pouffe à nouveau. Je dois avoir l'air un peu vexée (ou en colère), car tout à coup elle parvient (enfin) à finir sa phrase.

— Monsieur 9, il s'appelle... Il s'appelle Frédéric !

Pendant quatre secondes, aucun son n'est sorti de ma bouche. Puis, à mon tour, je me suis mise à rire à en faire souffrir mes côtes. Incontrôlable. On s'est sauvées de la bibliothèque en gloussant sans se soucier des regards étranges qui nous dévisageaient.

Frédérique et Frédéric. C'est mignon, non ? En plus, je suis la seule à l'avoir réellement remarqué. Tant mieux ! Et il m'a souri.

L'après-midi a filé à toute vitesse. Deux cours, c'est vite passé ! Ensuite, à la maison, tout a déboulé aussi. Devoirs, leçons, articles à écrire, placotage au téléphone, avec ma mère, lecture et dodo. Mais juste avant cela, je m'accorde le plein droit de rêvasser tranquillement. Étendue dans mon lit, je peux laisser mes idées vagabonder sans peur de me faire prendre en flagrant délit de déconcentration. Le droit de rêver, c'est primordial ! Je crois bien que je me suis endormie en ayant l'image d'un certain numéro 9 dans la tête...

Attention, tout s'écroule...

Les jours se sont écoulés très vite. J'ai suivi les Étincelles dans tous leurs entraînements. J'ai fait quelques entrevues avec Louis et certaines joueuses. J'ai récolté leurs impressions et leurs commentaires. J'ai cherché à connaître leurs rêves et leurs ambitions.

Je n'étais plus en retard ni à la course. Le tempo parfait pour maintenir l'équilibre entre mon nouveau titre de journaliste-reporter et mes obligations scolaires, je l'ai trouvé. Tout prenait sa place. Comme un casse-tête géant aux mille petites pièces qui s'emboîtaient bien, à un rythme régulier, sans que j'aie besoin de me creuser la tête. J'ai écrit quelques courts articles. Pour l'instant, ils apparaissent sur le site Web du journal étudiant. Mais j'en ferai probablement des plus longs et détaillés pour les versions papier du journal.

Quand vendredi matin est arrivé, je dois avouer que la perspective des trois jours de repos bien mérités qui s'annonçaient m'a aidée à afficher un large sourire au sortir du lit. Le long week-end de la fête du Travail, c'est génial! Une bénédiction quand vient la rentrée. On peut souffler après notre première vraie semaine d'école. En quelque sorte, c'est une prolongation de l'été. Un dernier soubresaut d'un soleil encore chaud. Le bonheur, quoi!

À l'heure du dîner, j'ai pu flâner tranquillement avec Emma, Zoé et Rosalie. Pas de pratique ni de partie ni rien. Un lunch tranquille durant lequel on a planifié nos activités du week-end. C'était bon, simple et formidable! Pour une fois, nous n'étions pas pressées. Depuis la rentrée, on n'avait passé que très peu de minutes toutes les quatre ensemble. Cela me faisait un bien fou d'être assise là avec elles. Dans notre cocon douillet. On oubliait même qu'on était dans l'école tellement nous étions occupées à nous parler et à élaborer mille projets. Je croquais avec énergie une des premières pommes de la saison en essayant de répondre à mes copines. Le bruit produit par chaque bouchée me faisait penser que je mordais avec autant d'ardeur dans mes nouveaux projets. J'étais heureuse… CLIC CLIC une photo mentale pour ne rien oublier de ce moment[1].

Nous étions justement en train de nous lever de table, prêtes à partir marcher dehors pour faire le plein de vitamine soleil, quand j'ai figé. Une vraie statue. Gelée. Mon cœur, qui trois secondes avant voulait exploser de bonheur et flottait allégrement sans soucis, s'est tout à coup arrêté. On aurait dit

---

1. Voir les romans précédents de la série.

qu'il faisait une chute libre dans le vide sans parachute ni bungee.

Dans l'embrasure de la porte se tenait, raide et droite, ma mère. Que faisait-elle ici ? Sur son visage, je lisais la gravité d'une situation encore inconnue. Ses yeux n'avaient plus rien de rieurs ou de réconfortants. Leur lumière habituelle était éteinte. Ils étaient sombres, sérieux et intensément tristes. J'ai cru même voir clignoter au fond de sa pupille un néon « CATASTROPHE ». Sans qu'elle ait besoin de dire un mot, je savais que quelque chose de grave venait de se produire. Mais quoi ? Elle était pâle, presque blanche. Ses mains tremblotaient et sa tignasse était totalement hirsute. On devinait qu'elle avait lâché ce qu'elle faisait pour se précipiter ici. Elle avait même ses vieux pantalons de yoga et un chandail tout croche sur le dos. Pas la tenue qu'elle mettrait pour venir me faire une surprise à l'école. J'ai cru que mon cœur allait éclater.

Quand mes amies l'ont aussi remarquée, elles ont souri une microseconde, croyant probablement qu'elle débarquait pour nous faire une surprise, puis un éclair de peur s'est installé dans leurs yeux. Elles ont compris elles aussi que ma mère n'était pas messagère d'une nouvelle réjouissante.

Dans les grands moments d'émotion, j'ai un don. Ou une malédiction, je ne sais pas trop. Je vois tout au ralenti. Chaque seconde dure une éternité. Et mon cœur, lui, accélère ses battements. Tout se passe à deux vitesses et ça m'occasionne une angoisse folle. Je l'abats en posant des questions. Il faut que je sache. Et vite. Ne pas savoir me rend folle.

— Maman ? Qu'est-ce…

— Frédérique, Zoé… suivez-moi, s'il vous plaît, a-t-elle réussi à prononcer en nous tendant la main, nous faisant signe de nous dépêcher de venir la rejoindre.

J'ai tout mis dans mon sac, même mon cœur de pomme et mes bouts de sandwichs. Mes mains tremblaient. Zoé ? Pourquoi Zoé ?

J'ai saisi la main de Zoé. Je ne savais pas quelle tempête se dessinait au-dessus de la tête de ma belle amie, mais c'était sur elle que la foudre allait tomber. Maman a enveloppé Zoé de ses grands bras et s'est dirigée vers l'entrée principale. C'est à ce moment que le directeur est apparu en courant vers nous. Il nous a escortées sans dire un mot vers son bureau. Il a ouvert la porte et nous a invitées à y entrer. En refermant, il a enfin brisé le silence.

— Faites-moi signe si vous avez besoin de quelque chose. N'importe quoi !

Une fois le directeur parti, ma mère a demandé à Zoé de s'asseoir. Elle s'est exécutée stoïquement. Ma mère a pris une grande inspiration, espérant aspirer une dose de courage aussi.

— Ma belle Zoé... Ta maman a eu un petit accident...

— Un accident ? Un accident ? En auto ? Où ça ? Elle est comment ? Elle est où ?

— Non, un accident... dans son corps. Elle ne se sentait pas tellement bien au bureau ce matin. Elle s'est rendue à une réunion chez un client et elle a perdu connaissance. L'ambulance l'a transportée à l'hôpital.

— Maman... Elle va comment ? Je veux aller la voir... On peut y aller. L'hôpital n'est pas loin...

— Non. Pour l'instant, tu ne peux pas. Ton père est avec elle. C'est lui qui m'a demandé de venir te rejoindre, a répondu ma mère en flattant doucement le bras de Zoé. Et, en plus, elle n'est pas à l'hôpital ici. Elle a été transportée à celui le plus près d'où elle était, à environ deux heures de route... On ne peut pas y aller comme cela.

— Mais... Mais... Elle a repris conscience?

Ma mère a avalé de travers. Je l'ai vu. J'ai vu son cou se crisper un peu.

— Pour l'instant, je n'en sais pas plus... J'imagine... Écoute, on va retourner chez nous. Ton père va nous rappeler là.

À ce moment, Zoé a sorti ses griffes. Elle a repoussé les câlineries de ma mère. Elle a croisé les bras et a secoué la tête machinalement. Puis, elle s'est pliée en deux, la poitrine collée sur ses cuisses et elle s'est mise à pleurer. Voir mon amie démolie, inquiète et triste m'a secouée. Des larmes coulaient aussi sur mes joues. Je me sentais désemparée. Je me suis approchée, me suis accroupie près d'elle et j'ai mis ma main sur son épaule. Elle n'a pas bougé. Je me demande même si elle a senti que je l'avais touchée. Mes gestes n'étaient pas sûrs.

— Fred, va chercher vos affaires. On s'en va.

— Ok, mais j'ai pas la clé du casier de Zoé...

— Prends juste le strict nécessaire...

Zoé m'a tendu sa clé sans rien dire.

En marchant dans le corridor, les yeux hagards, l'esprit perturbé, j'ai tout à coup réalisé que la couleur de la vie avait changé. Ce n'était plus jaune et étincelant comme tantôt, avant que ma mère débarque. Un voile recouvrait autant mon regard que ma réalité. Tout peut basculer. Comme cela. Sans avertissement.

En moins de cinq minutes, j'ai eu le temps d'expliquer la situation à Emma et Rosalie qui m'attendaient près des casiers, folles d'inquiétude. Elles avaient flairé le drame et étaient en train d'imaginer une série de scénarios catastrophes. Je ne les ai pas vraiment rassurées en leur expliquant ce qui se déroulait.

Je leur ai promis de leur donner des nouvelles le plus vite possible. J'ai saisi le manteau, les espadrilles et le sac de Zoé ainsi que mes propres affaires et je suis retournée au bureau du directeur, le repaire de la tristesse et de la mauvaise nouvelle.

Ma mère, Zoé et moi sommes parties. Muettes encore. Emmurées dans la peine et la crainte. Jamais on n'avait été aussi silencieuses toutes les trois. Dans la voiture, sur le chemin du retour, mille questions tourbillonnaient dans ma tête et j'en entendais tout autant venant de l'esprit de Zoé. Mais aucun son n'est venu transpercer le silence. Le choc nous a abasourdies. La peur nous empêchait de parler ou alors elle était si grande, si immense, si insidieuse qu'elle s'infiltrait en nous, nous paralysant comme un venin et nous privant de toutes réactions.

Même si le soleil brillait, il y avait un terrible coup de froid qui venait de tomber sur nous. Nos mines sérieuses contrastaient avec les sourires qui naissent habituellement le vendredi après-midi quand la météo prédit encore des journées radieuses.

Je me sentais impuissante. Je ne savais pas quoi dire ou quoi faire, et pour Zoé c'était sûrement mille fois pire. Elle devait se sentir loin, très très très loin de la Zoé de ce midi. Une seconde et tout explose. Tout change. Ce qui était rose devient gris, presque noir. On est dans le vide, retenu par une trop fine corde. On se demande si elle va tenir le coup ou si elle va lâcher. Si on va tomber encore plus. Si on va s'écraser. Tout perdre.

J'ose à peine regarder vers Zoé. Tantôt elle fixe un point à l'extérieur de l'auto, tantôt elle baisse la tête. Sa main hésitante essuie ses yeux pour que les larmes ne perlent pas sur ses joues. J'aurais envie de lui dire de pleurer, mais je n'ose pas. Je ne sais pas quoi dire, ni même s'il faut que je dise quelque chose. Nos sacs érigent une barrière entre nous sur la banquette. Je pourrais étendre le bras, rejoindre son épaule ou sa main, mais pour une rare fois de ma vie, je ne suis pas certaine que ce serait la bonne chose à faire. Je ne sais plus rien. À la maison, ça ira. Ça ira. Ça ira. J'essaie de me raisonner. Mon mantra positif n'a rien de convaincant. J'ai encore un drôle de pressentiment. Et si ce n'était que le début d'une longue chute...

Je suis peut-être égoïste, mais une pensée étrange me traverse l'esprit. Ma maman à moi est bien là. Sur le siège conducteur. Énervée. Peinée. Mais là. Pas dans une ambulance, ni une salle d'examen ni une chambre d'hôpital. Je mesure ma chance, tout à coup.

Et remercie le ciel secrètement. Cette pensée de perdre ma mère ou qu'il lui arrive un malheur déclenche en moi une avalanche d'émotions. Et voilà que des larmes déboulent sur mes joues.

À la maison, on n'a rien à faire sauf attendre et guetter le téléphone. Ma mère a dû vérifier 8 fois en 15 minutes s'il était bien branché. On s'est assises toutes les trois sur le divan du salon et on a attendu. Attendu. Attendu. Cela devenait insupportable, le combiné du sans-fil posé comme un objet précieux sur la table basse.

— Tu veux quelque chose à manger ? À boire ? a demandé ma mère à Zoé.

— Tu veux une veste ? Ma doudou ? ai-je proposé à mon tour.

— Non, non, a simplement répondu Zoé.

Allumer la télé ? Non. Mettre de la musique ? Non. Lire ? Impossible. On était condamnées à patienter. Je ne suis pas bonne, là-dedans. Je me tortillais sans cesse sur le divan. Mes mains ne savaient plus quoi faire. Je me levais pour prendre un coussin, le plaçais, le déplaçais pour finalement le jeter par terre. Même processus avec la doudou. J'ai entortillé des dizaines de mèches de cheveux autour de mes doigts. Zoé ne bougeait pas d'un iota. Rien. Pas un geste. Pas une larme. Raide sur le bout du divan.

— Je vais vous faire une tisane, les filles. Ça ne peut pas vous faire de mal et ça va nous détendre. Ton père, il n'a juste pas eu le temps de rappeler. Il est sûrement avec ta...

DRIIING ! Enfin ! Le monologue de ma mère, pour meubler le silence trop lourd, a été interrompu par la sonnerie tant attendue.

Zoé a littéralement bondi sur le combiné. C'était bien son père. Elle a demandé des précisions. Elle voulait tout savoir. Elle voulait parler à sa mère. Mais après trois maigres minutes environ, elle a tendu le combiné à ma mère. Après quelques « humm humm » et quelques regards jetés vers nous, cette dernière est allée s'enfermer dans sa chambre pour poursuivre la conversation. Zoé s'est levée prestement et s'est enfuie dans ma chambre. Je restais donc là, plantée sur le divan, au milieu du salon. Seule. Ignorante.

Au bout de deux minutes, ma mère est ressortie.

— Où est Zoé ? s'est-elle inquiétée.

— Dans ma chambre... Il se passe quoi, maman ?

— Ma belle Frédérique... Ton amie va avoir besoin de nous. Elle va rester ici le temps que sa mère sorte de l'hôpital. Ça pourrait prendre quelques jours.

On ne sait même pas... Elle fait beaucoup beaucoup de fièvre. Ça, c'est le signal que son corps combat quelque chose, mais...

— Elle a quoi ?

— Les médecins ne savent pas encore. Ils ne peuvent pas se prononcer. Mais ce n'est pas normal qu'elle perde connaissance ainsi. Et ils investiguent du côté de son cœur. Il y aurait des trucs bizarres, mais pour le moment on n'en sait pas plus. Son père va rester avec elle pour la journée. Il va dormir là et nous tenir au courant.

— Oh...

— La mère de Zoé est hors de danger. Elle est sous surveillance et une équipe s'occupe d'elle. Nous, on prend soin de Zoé. Ok ?

— Oui ! Je comprends.

J'ai perçu cette demande comme une invitation à chouchouter mon amie, lui changer les idées, lui rendre son sourire, la divertir et l'occuper. Un peu plus et je me sentais investie de la mission spéciale « Prenons soin de Zoé ». J'allais être la meilleure amie du monde. Celle qui allait lui changer les idées pour lui faire oublier sa peine. Pour lui redonner espoir et pour la consoler. C'est ce que j'allais faire. Je suis partie en coup de vent la rejoindre dans ma chambre.

Mon « pep » s'est évanoui quand je l'ai vue, étendue sur mon divan rose, la tête sous mes coussins, le corps recroquevillé sous une doudou. Cela formait une boule sur mon divan.

— Zoé ! Zoé ! Ta mère est hors de danger. Ma mère l'a dit, ai-je murmuré en m'assoyant près d'elle.

— …

— Zoé ! Ce n'est peut-être pas grave. Je suis certaine qu'elle va s'en sortir. Dans quelques jours, elle va être de retour chez toi, vous allez vous chicaner encore et tout sera comme avant.

— …

— Hors de danger! C'est une bonne nouvelle, non? Viens, on va faire quelque chose toi et moi. On va se changer les idées. Qu'est-ce qui te tente? Hein? Ce que tu veux, Zoé! Allez! On pourrait appeler Rosalie et Emma et faire une soirée cinéma dans ma chambre. Ou se faire des pizzas. Ou faire des bijoux. Ou...

Oh! C'est là que la tempête s'est levée. Zoé a sorti sa tête de dessous les coussins pour me servir tout un sermon.

— Tu trouves que c'est une bonne nouvelle! Hors de danger. Ça veut dire qu'il y avait ou qu'il y a encore un danger potentiel, comme une menace. Tu trouves que c'est une bonne nouvelle que ma mère soit dans un hôpital à deux heures d'ici, que je ne puisse pas aller la voir, que mon père doive rester là en attendant qu'elle aille mieux et que je sois ici? Ben pas moi! Tu dis que ce n'est peut-être pas grave! Tu es qui pour dire ça? Tu es médecin?

Tu l'as vue? Tu la connais? Et j'ai envie de rien faire. Rien. Ce que je veux? Ma mère. Ici. Chez nous. Je ne veux pas me chicaner avec elle. Je veux lui donner un câlin. Comprends-tu ça? J'ai zéro envie de me changer les idées. Là, Fred, mes idées elles sont concentrées sur ma mère et je ne suis pas capable de les faire décoller de là. Et c'est tout. Je veux la paix. Je veux être là-bas. Je ne veux pas que ma mère soit examinée, qu'elle passe des tests. Je ne veux pas que ma mère ait un problème au cœur. Donc, laisse-moi! Bon!

Sans me laisser la chance de dire un mot (de toute façon, je n'avais plus rien à dire), elle a replongé la tête sous les coussins et a ramené la doudou par-dessus. Le message était clair. Elle voulait avoir la paix. Rien que la paix.

Sa réaction m'a fouettée. J'avais échoué dans ma mission et je revenais, bredouille, la mine basse, dans le salon.

Ma mère avait tout entendu, c'était certain. Zoé avait presque crié.

— Ton amie a besoin d'être seule un peu, je crois. Ce n'est pas facile de digérer tout cela. C'est beaucoup dans une même bouchée, disons.

— Oui, mais... ma chambre...

— Installe-toi dans le salon. Tu la laisses tranquille pour le moment. Seule. C'est ce dont elle a besoin, je pense.

Je suis donc restée dans le salon. Et j'ai attendu. J'ai lu toutes les revues qui traînaient, regardé au moins cinq émissions plates à la télévision, mangé une soupe sans avoir d'appétit et je me suis finalement endormie sur un film. Je me suis réveillée vers 1 h 30 du matin. L'appartement était silencieux. Au loin, j'entendais ma mère ronfler. Sur la pointe des pieds, je suis allée vérifier dans ma chambre. Zoé était dans mon lit. Un bol de soupe vide et quelques miettes de biscuits secs traînaient sur ma table de chevet. Sur l'oreiller, sous la joue de Zoé, un livre qu'elle a dû essayer de lire avant de s'endormir dessus. Je l'ai retiré doucement pour ne pas la réveiller, mais au moment où le dernier coin quittait sa peau, Zoé a prononcé, comme dans un rêve, un faible : « Maman ? »

— Chhuuuut, rendors-toi, mon amie, je suis là…

Elle n'a pas ouvert les yeux. Je suis restée là à l'observer un peu. Elle n'était plus la Zoé forte et fière, endurante et énergique. Cette journée l'avait changée. Elle était délicate et fragile. Comme un petit bébé, presque. Mais j'allais trouver le moyen de l'aider. Ça, oui… restait juste à trouver comment. Mais j'allais y parvenir.

De retour dans le salon, sur mon lit de fortune, j'ai trouvé sur la table basse une note de ma mère.

Le papa de Zoé a rappelé. Sa mère sera bientôt dans une chambre. Plus de nouvelles demain. Zoé a parlé avec son père dans la soirée hier pendant que tu dormais. Viens dormir avec moi dans ma chambre si tu veux. Tu seras mieux que dans le salon. Laisse ton amie dans ta chambre. Je t'aime... Mamanxxxxxx

Ma doudou sous le bras, je suis allée rejoindre ma mère. Malheureusement, je n'avais plus sommeil. J'ai longtemps réfléchi, les yeux perdus dans la noirceur, cherchant des réponses au plafond. Puis, j'ai tâtonné sous les couvertures pour trouver la main de ma mère. En la tenant près de ma joue, j'ai fini par rattraper le sommeil qui m'évitait, le cœur lourd mais bien décidée à trouver la façon d'accompagner mon amie dans cette épreuve.

Morceau par morceau

Le téléphone ne dérougit pas, ce matin. Après la sixième sonnerie, j'ai décidé de me lever. Ma mère n'était évidemment plus à côté de moi dans le lit. Elle s'était transformée en réceptionniste. Sur le tabouret de la cuisine, elle notait les appels et répétait toujours : «Non, Zoé ne veut pas parler au téléphone. Oui, je lui fais le message. Elle rappellera, c'est cela. Au revoir!»

— Mon père a appelé. Ma mère est dans une chambre, sous méga surveillance. Elle fait encore de la fièvre et n'est pas très forte, mais au moins l'équipe médicale est aux aguets, m'a lancé Zoé.

— C'est une bonn… une pas pir… nouvelle…

Je ne savais pas trop quoi répondre. Je craignais de ne pas choisir les bons mots et que Zoé explose comme hier. Mais rien… fiou!

Sauf qu'après avoir partagé cette maigre nouvelle, Zoé s'est tue à nouveau et a commencé à fixer son bol de céréales. Visiblement, elle n'avait pas faim. J'ai tiré le bol vers moi et l'ai mangé. Un silence s'est encore infiltré entre nous trois. Nous qui d'habitude sommes des filles qui parlent tout le temps.

La météo semblait avoir adopté les couleurs de notre moral. Le soleil prévu pour tout le week-end s'est métamorphosé en un ciel gris, menaçant d'exploser en pluie à tout moment. Comme quoi toutes les prédictions pour la fin de semaine ne tenaient plus la route. J'ai vu cela comme un signe.

Pendant la douche de Zoé, ma mère m'a confié qu'Emma et Rosalie s'inquiétaient, mais elle m'interdisait de les appeler devant Zoé. «Tu les appelleras quand Zoé dormira... N'importe quand, mais pas devant elle! Ce ne serait pas très cool qu'elle t'entende raconter sa vie!» Pendant ma douche, ma mère a dû parler à Zoé et lui faire comprendre qu'elle devait se changer (un peu) les idées, car elles m'attendaient toutes les deux devant la planche du Monopoly.

Tout l'avant-midi, ma mère a chapeauté et dirigé nos activités comme si nous étions des petites de maternelle qui ne savaient pas comment s'amuser. On aurait dit qu'on avait besoin d'elle pour nous dire quoi faire. «Ok, on joue au Monopoly. Qui veut faire un casse-tête? Non? Une partie de Blockus, alors? Bon! Allez, qui sort le jeu?» Zoé acceptait de se changer les idées, mais gardait son cœur et ses pensées bien barricadés. Aucun moyen de savoir ce qui trottait dans sa tête. Depuis l'annonce de la nouvelle, elle avait érigé autour d'elle une muraille et ne laissait personne la franchir. Pourtant, j'en suis certaine, elle devait s'ouvrir un peu. Transpercer ce mur de brique pour laisser sortir son trop-plein d'émotions et de sentiments. On ne peut pas vivre une épreuve dans le silence. La peur et la peine, tout autant que le bonheur et la fierté en d'autres occasions, doivent s'exprimer. Autrement, ça s'imprime en nous et ça laisse des traces. Indélébiles. Des marques qui pincent et qui brûlent. Des égratignures qui reviennent nous faire mal chaque fois qu'on vit une autre épreuve. Je ne peux pas forcer Zoé à ouvrir les vannes de son cœur et laisser couler le flot d'émotions. Je ne peux pas la forcer, mais je peux sûrement l'aider.

Mais comment ?

Comment ? J'aurais besoin qu'un immense feu d'artifice explose au-dessus de ma tête pour que je puisse formuler un seul vœu. Je saurais quoi demander à l'univers : que rien de tout cela ne soit arrivé. Mais c'est impossible. Il y a quand même quelques souhaits irréalisables.

Je me sens perdue et tellement mélangée. Je suis devant un casse-tête gigantesque avec des milliers de pièces microscopiques. Et je n'ai pas d'image du résultat final à obtenir. Néant. Je ne sais donc pas quoi faire. Par quoi commencer ? Un coin ? Lequel ? Une couleur ? Laquelle ? C'est comme si Zoé était en miettes et que je devais l'aider à se reconstruire. Ramasser les morceaux qui se sont détachés, essayer de les remettre à la bonne place. Le problème est qu'elle ne sera pas tout à fait comme avant. Le défi est multiplié. Pas de solution miracle tant pour le casse-tête que pour Zoé. Il faut y aller morceau par morceau, tranquillement. Doucement. On commence par la base, le contour. Les détails, on y voit ensuite. C'est la structure qui importe le plus.

J'ai essayé une fois encore en y mettant toute la délicatesse possible.

— Tu veux m'en parler ? Me dire comment tu te sens ? Faire sortir le trop-plein ? Tu sais, avec moi, tu peux sans gêne exploser, crier, pleurer, rire, faire semblant, ouvrir ton cœur, blâmer, te fâcher, te confier, ce que tu veux...

Un minuscule sourire, discret et tendre, s'est dessiné sur le visage de Zoé. Il ressemblait à un bourgeon encore timide un jour de printemps qui ne sait pas trop s'il doit percer ou non.

— Pour le moment, ça ne me tente pas. Je n'ai pas envie d'en parler. Ne le prends pas personnel ! Je n'aurais pas envie avec personne d'autre non plus ! Merci, Fred, mais non ! C'est comme trop mêlé en moi...

J'ai hoché la tête. Je comprenais. Je n'ai pas pu m'empêcher de lancer tout bas.

— Tu es comme un casse-tête...

En après-midi, j'avais des fourmis dans les jambes. Et un picotement sur le bord des lèvres. J'avais envie de parler. De dire plein de choses à Zoé. Pas pour la brusquer, non ! Juste pour lui dire que je pensais à elle. Que ce qui se passait me faisait de la peine. Que j'étais inquiète, aussi. J'avais un million de trucs à lui dire. Mais elle ne voulait pas les entendre.

Pour faire passer le tout, j'ai décidé de m'éclipser... dans la salle de bain ! En fermant la porte, je me suis rendu compte que cette pièce était presque un refuge. Je me coupais un peu du monde pour en ressortir ensuite toute neuve (propre, du moins !). J'ai versé du bain moussant pour que l'eau soit surmontée d'une couche impressionnante de bulles. J'ai mis l'eau juste un peu chaude. Pas trop, sinon je ne peux pas y rester assez longtemps. En barbotant, j'ai senti mon corps se détendre. Étonnant, car je n'avais même pas remarqué que j'étais si tendue. Même si ce n'est pas ma mère qui est à l'hôpital, je ressens le stress qui flotte chez moi et autour de moi. Et le stress, s'il n'est pas évacué, se promène en nous et s'infiltre entre tous nos muscles.

Les mots de Zoé me tournaient dans la tête. En fait, ils ne sont jamais partis. « Je ne veux pas parler. » C'est ce qu'elle m'a dit. Mais moi, j'entendais autre chose. Un bruit de fond, un chuchotement, un autre message. Je suis persuadée qu'elle doit exprimer comment elle se sent si elle veut passer par-dessus cette épreuve. Faire sortir le méchant, comme dit l'expression populaire.

Mes mots me tournaient aussi dans la tête. J'avais emmagasiné tout plein d'idées pour le journal de l'école et je n'avais rien couché sur papier encore. Sur mon écran d'ordinateur, plutôt.

PAF! Mon brouillard s'est dissipé. Tout était clair et limpide. Comme de l'eau. Zoé a prétendu ne pas vouloir en parler, cependant elle n'a jamais dit qu'elle refusait de communiquer. Et on peut « dire » sans prononcer de mot. Sans faire de bruit. Sans même être face à face. Sans même être dans la même pièce. Ni à la même heure ou la même journée.

On va s'écrire.

Voilà ce qu'on va faire! C'est cela! Hé! C'est tout un flash que j'ai eu en me prélassant dans le bain. Peut-être que la mousse a des pouvoirs spéciaux. J'étais hypnotisée par les bulles qui éclataient et disparaissaient sur la surface de l'eau quand deux pièces de mon embêtant casse-tête se sont enfin imbriquées l'une dans l'autre.

Un journal intime à quatre mains, où on pourrait « dire » sans paroles, « parler » sans bruit et « briser le silence » sans même ouvrir la bouche. On transpercera la peine de Zoé, doucement, en enfilant des mots couchés sur papier. L'expérience sera tout aussi réparatrice pour Zoé et peut-être qu'ainsi elle sera moins gênée de laisser couler ses émotions.

Je ne pense pas qu'elle veuille vraiment tout garder pour elle. Mais parfois, on a besoin d'être seul avec soi pour faire le ménage dans ce qu'on vit et ce qui se brasse en nous. Ce n'est pas se cacher ; c'est avoir besoin d'intimité. Et de temps. De silence, aussi. Et ce n'est pas simple de faire comprendre cela à notre entourage. Le silence fait peur. Je suis la première à ne pas être totalement à l'aise avec lui. Même si j'ai appris à l'apprivoiser avec Félix[2]. Mais j'aurais besoin de cours de rattrapage, parfois. J'étais en train de brusquer Zoé avec mon besoin de parler et de lui arracher les mots de la bouche. Là, en s'écrivant, on va parvenir à se comprendre. Et chacune ira à son rythme. Je suis certaine que mon idée, discrète, simple et un peu pudique même (comme mon amie !) l'enchantera. Au fond, c'est à moi de m'adapter à mes amies selon ce qui arrive dans leur vie. Je sais qu'avec Emma les confidences passent mieux dans l'action : en cuisinant, en jardinant, etc. On a même inventé une nouvelle sorte de thérapie : la cupcake-thérapie. On dirait qu'en déversant du sucre et en étalant du crémage, elle est plus capable de déverser ses secrets et d'étaler ses émotions[3]. Avec Rosalie, pour chasser ses soucis ou pour l'amener à livrer ses mille confidences, rien de mieux que de se parler. Elle, ce serait la jasette-

2. Lire *Cœur de pierre*, le 4e tome de la série.
3. Lire *Un été sucré*, le 6e tome de la série.

thérapie face à face, sur le divan, dans les toilettes de l'école, au parc, n'importe où! Avec Zoé, tout se jouera avec un très ordinaire crayon et un petit cahier.

Moi? Humm… C'est la thérapie par le bain! Mon meilleur truc pour éclaircir mes idées! Rien de moins! Une bonne trempette et hop: tout se met en place.

Bon! Si je veux commencer mon échange épistolaire le plus tôt possible avec Zoé, il faut que j'émerge de mon bain rapido et que j'aille acheter un petit cahier de confidences avant la fermeture de la librairie. Ensuite? J'écris. C'est tout. Les mots viendront bien tout seuls… J'ai confiance. C'est souvent de trouver LA première bonne idée qui est compliqué. Le reste, ça coule plus facilement. Il suffit d'une étincelle pour que le feu démarre…

Je m'enroule dans une serviette, démêle mes cheveux et enfile mes vêtements en un temps record.

— Maman, Zoé, je dois aller faire une course. Je reviens dans une demi-heure, max. Quelqu'un a besoin de quelque chose à la librairie ?

— Pourquoi tu vas là ? Il est passé seize heures, ce sera bientôt fermé, dit ma mère, qui soupçonne sûrement qu'une idée a germé dans ma tête.

— Mission secrète…

Je jumelle ma réponse à un clin d'œil complice qui, lui aussi, sans même vraiment « parler », en dit long…

Mot par mot...

Zoé. Ma belle Zoé. Je sais que tu ne veux pas parler. J'ai compris. C'est pas facile pour moi qui aime tant le faire, mais j'ai réalisé qu'on pouvait parler de différentes façons. Alors, si tu le veux bien, je t'offre ce tout petit cahier pour qu'on s'écrive des messages. Tu pourras te vider le cœur, m'expliquer comment tu te sens ou simplement noter ce qui trotte dans ta tête ou ce qui traîne sur ton cœur et le fait sentir si lourd ! On peut y noter nos peines, se poser des questions, se confier des secrets qui font mal quand ils sortent par la bouche, mais qui se supportent mieux si on les écrit. Et tu peux m'écrire RIEN. Écrire deux cents fois ce mot si ça te soulage... Je pense que ça pourrait t'aider à traverser ce dur moment. Qu'en penses-tu ? Une fois qu'on a écrit notre missive, on laisse traîner notre cahier sur le lit de l'autre quand on est prête à le faire lire. Pas d'obligation ni de délai de réponse. On suit notre cœur, d'accord ?

J'espère que mon idée te plaira. Si ça ne te tente pas, si tu la trouves idiote, si ça te bouscule, tu n'es même pas obligée de m'expliquer. Écris juste un gros NON sur la page et je comprendrai encore. Mais prends le temps d'y penser. Et promis juré, on n'a pas à se reparler de ce qu'on s'écrit. C'est écrit, c'est suffisant ! Je ne te demanderai pas d'autres explications en personne. Je n'insisterai pas et garderai précieusement (et silencieusement) les secrets qu'on partagera. À moins que tu veuilles m'en parler. Dans ce cas-là, je serai une oreille pour toi... Toutefois, comprends bien que nos conversations silencieuses seront tout aussi magiques que les soirées qu'on a pu passer sur le divan à réinventer le monde. Pour le *moment, on va te réinventer... morceau par morceau, comme un casse-tête tout défait! Mot par mot, comme une enfilade de confidences tendres.*

Ton amie... Frédou!

P.S. Je t'aime grooooooooooooooooos! Xxxxxoxooxoxoxo

Voilà. Mon premier message! J'ai l'impression de lancer une bouteille à la mer. Je ne sais pas si elle me reviendra, ni quelle sera sa réponse... En attendant, j'ai fait échouer mon cahier sur mon divan rose, devenu, dans les circonstances, le repaire de Zoé. Elle devrait le trouver bientôt...

Éternelle optimiste, je suis presque certaine que Zoé acceptera cet échange de messages. Encore un pressentiment! J'espère qu'il sera meilleur que celui d'hier. Peut-être aussi que j'ai simplement une furieuse envie de croire que je ne laisserai pas mon amie seule avec sa grosse peine. Parfois, même quand je doute, quand je suis stressée, quand au fond de moi je ne suis pas sûre du tout, je préfère y croire plus fort encore. Comme si, en rassemblant toutes mes bonnes vibrations, j'allais combattre mes doutes et les chasser. C'est ce que je fais et d'habitude, c'est une technique qui fonctionne.

Si mon idée de cahier de messages plaît à Zoé, je vais donc pouvoir m'attaquer à tout le casse-tête. Ce sont les premières pièces qui sont les plus difficiles à assembler. Ensuite, à grands coups de patience, ça va ! Je suis prête. Je suis sur le point de faire un des puzzles les plus passionnants de ma vie, j'en suis (presque !) certaine !

Facile à dire... De la patience, je n'en ai pas beaucoup. Je trouve difficile d'attendre. Je tourne en rond dans l'appartement. Et si je veux donner une chance à Zoé de lire mon message et de peut-être y répondre, il ne faut pas que je rôde autour d'elle. Je lui ai dit que je lui laissais de l'espace et du temps. Je dois respecter mes promesses.

Sauf que… c'est loooonnng! Sérieux, je ne suis pas bonne pour attendre. Surtout quand je me prédis une surprise positive. Si je savais dans mes tripes que ça ne fonctionnerait pas, mon anticipation ne serait pas là. La machine « hâte » ne se serait pas enclenchée. Attendre le passage du père Noël quand j'étais petite provoquait en moi la même « non-patience ». Puis, les manifestations de la « hâte » se mettent à m'envahir: incapacité à rester en place, envie intense de bouger, papillons dans l'estomac, palpitations, marches sans but dans la maison, etc. Impossible de rester étendue sur le lit de ma mère: je passe à l'action… si on peut dire!

— Je vais prendre un autre bain… Vous aviez besoin de la salle de bain ?

— Un autre bain !

Voilà que ma mère et Zoé s'exclament en chœur maintenant en levant les yeux de leur livre.

— Quoi ? Y a une règle qui dit qu'on ne peut pas prendre deux bains dans la même journée ?

— Non, mais il y a à peine une heure que tu en es sortie…, s'étonne Zoé pendant que ma mère approuve en hochant la tête.

— Quand des choses nous font du bien, on serait fou de s'en passer…

Et PAF ! Je les gratifie d'un fameux clin d'œil. Mine de rien, mes clins d'œil parlent sûrement eux aussi, et même à Zoé. Car quelques minutes après avoir fermé la porte de la salle de bain, j'ai entendu des pas se diriger vers ma chambre… BINGO ! Zoé s'en allait tout droit vers mon cahier… Yahouuuuu !!

Mon cœur s'est emballé. Elle écrira ou non ? Elle aimera l'idée ou non ? Elle se sentira blessée par mon initiative ou non ? Elle dira oui ou non ?

J'ai essayé de lire un roman que j'avais traîné avec moi dans les bulles de savon, mais c'était trop difficile. Je me suis efforcée de rester allongée dans l'eau afin de laisser du temps à Zoé pour ne pas la bousculer. Mais ma patience étant ce qu'elle est – soit défaillante ! –, je suis vite sortie de l'eau. J'ai étiré au maximum les minutes en me crémant, en démêlant mes cheveux, en essayant deux ou trois coiffures, en me brossant même les dents et en m'habillant à la vitesse d'une tortue. Ça me démangeait de partout d'aller plus vite ! Pour m'exercer encore plus, j'ai même compté jusqu'à 200 la main sur la poignée de porte pour donner trois minutes de plus à Zoé. Puis, n'en pouvant plus, je suis sortie en me forçant à paraître le plus normale possible. Toutefois, ça devait être évident que je cherchais le cahier. Mes yeux balayaient les pièces, tel un radar puissant, pour en détecter la présence.

Rien dans la chambre de ma mère. J'ai même regardé sous le lit. Rien dans la cuisine. Rien dans le salon.

Sérieux, j'étais triste. Très triste. Je me suis donc étendue sur le divan, la tête enfoncée dans l'oreiller, une couverture par-dessus. TOC! Quelque chose est tombé par terre… Oh ho! En étirant le bras, sans même lever la tête, j'ai tâté le plancher près de moi… pour finalement frôler mon cahier du bout des doigts.

C'est difficile à expliquer, mais une bouffée de chaleur et d'émotions incroyables m'a envahie. J'ai senti un vent chaud, puis un autre froid danser autour de moi. J'ai fait voler la couverture à mes pieds et me suis assise sur l'oreiller, le précieux cahier sur mes genoux. Je l'ai fixé étrangement. J'aurais voulu lire à travers sa couverture sans même l'ouvrir. Savoir ce qu'il contenait juste en le regardant. Cependant, en posant les mains sur lui, j'ai cru sentir quelque chose. Une énergie ? Une émotion ? Une force ? Une ouverture ? Une possibilité ? Mille possibilités ? C'était encore un pressentiment ou quelque chose comme cela. À moins que ce ne soit que mon imagination débordante et totalement en feu. J'ai fermé les yeux, émis un souhait dans ma tête, pris une longue inspiration et je l'ai ouvert.

Salut Fred !

Comme toujours, tu as eu une bonne idée. Une idée digne de toi, Fred ! Une idée belle et lumineuse. Mais cette fois-ci, tranquille et discrète. Je dis OUI. Un gros gros OUI. Parce que je ne sais plus du tout quoi penser de tout cela. Parce que je me sens un peu seule. Mais qu'en même temps ça me gêne d'en parler face à face. C'est nono un peu, non ? Je me sens gênée de dire que j'ai peur. Que j'ai extrêmement peur. Que je sens que mon cœur est plein de trous. Il n'est pas complet quand ma mère n'est pas là. C'est bizarre de dire cela à mon âge, tu ne penses pas ? Mon père est certain que le pire est passé. Elle n'est plus en danger. Surtout que là, à l'hôpital, c'est la meilleure place pour être malade. Ils vont trouver ce qu'elle a et elle pourra être bien, ensuite. Ce sera comme un avertissement. Mais moi, je ne sais pas trop, ça ne me rassure pas vraiment. Je n'arrive pas à démêler le tas d'émotions. Je me sens démolie, aussi, comme si quelque chose était brisé. Mais je ne sais pas trop quoi...

Tout cela pour dire que j'accepte. Ça fait du bien de te parler ainsi, silencieusement. C'est parfait pour moi. Juste écrire dans un journal intime, sans avoir un écho ailleurs, c'est plate ! Je n'aime *pas cela ! J'aurais l'impression de parler toute seule. Mais nos échanges silencieux, c'est trop génial ! Tu sais que c'est pour cela que tu es une amie formidable ! Tu trouves toujours quelque chose qui fera plaisir à tes amies. Je sais que tu aurais préféré parler de vive voix, mais tu te plies à ce que j'aime... Merci, ma belle amie ! ! !*

Zoé xxxxxxxx

J'ai senti deux larmes, discrètes, couler sur le bord de mes joues. Elle avait dit oui. De petites ailes me poussaient dans le dos, j'en étais presque certaine. J'allais flotter ! J'allais voler ! De bonheur ! Et aussi parce qu'enfin l'ambiance allait être plus légère. Je ne sentirais plus les tensions, les tonnes de mots et les milliers d'émotions entre Zoé et moi. Mot à mot, on allait débarrasser son cœur lourd des pierres qui lui sont tombées dessus.

Ma belle amie Zoé !

Je suis heureuse. Tu as dit OUI et moi ça m'a fait sourire. Tu avoueras qu'on ne sourit pas beaucoup depuis un peu plus de 24 heures. Tu ne parleras pas toute seule. Non, je serai là. À t'écouter à distance. À lire entre tes lignes, aussi.

En premier, je veux te dire que ce n'est pas nono, pas du tout du tout du tout (As-tu compris ? Je le redis alors : pas du tout du tout du tout ! ! !) d'être gênée de parler aux autres de ce que tu vis. Je vais te raconter un truc que tu vas peut-être trouver drôle. Quand je suis allée dans le vestiaire des filles l'autre jour, j'ai cru fondre de gêne. C'est bizarre ! Je ne suis pas gênée quand c'est le cours de gym et qu'il faut se changer. Je ne suis pas gênée de parler tout en me changeant devant vous. Mais là, ça m'a gênée. Profondément. Je me sentais rouge tomate jusqu'au bout de mes dix orteils. Sérieux ! Je suis certaine qu'ils avaient changé de couleur.

C'était tellement intense ! J'ai perdu tous mes moyens. Je n'arrivais plus à penser correctement ni à enligner deux pensées de suite. Mon cerveau disjonctait totalement ! Alors là, tu imagines que pour parler, c'était épouvantable ! Je n'y arrivais pas. Pourtant, je parle, d'habitude, même dans le vestiaire, mais là, j'ai figé. Rien ne sortait (ou plutôt tout sortait tout croche !). J'ai beau être une placoteuse, une fille qui aime communiquer, eh ben là j'ai compris qu'il y a des situations qui nous mettent si mal à l'aise qu'on n'arrive plus à être soi-même !

Ce qui t'arrive est exceptionnel et personne – même pas Rosalie notre placoteuse nationale ! – ne peut savoir comment il réagirait s'il faisait face à une telle tempête. Oh oui, c'est une tempête. Elle a brisé quelques morceaux. Peut-être même qu'elle t'a démolie un peu. Tu es en morceaux comme un casse-tête tout mélangé. Tout est encore là, mais *les morceaux ne sont plus les mêmes et il faudra un bon boulot pour tout remettre en ordre ! Moi, je vais t'aider à te remettre en un seul morceau. Tu ne resteras pas « Zoé en pièces ». Je pense qu'avec notre cahier, on assemblera quelques morceaux ensemble. En écrivant, tu verras de plus en plus clair sur ce qui se trame en toi. Chaque mot éclaire un recoin différent en toi. Plus tu en enfileras, plus tu jetteras de la lumière sur ce que tu ressens. Tu ne penses pas ?*

Deuxièmement, tu es normale, je te rassure. Il n'y a pas d'âge pour avoir peur de perdre sa mère. Ça, j'en suis certaine ! Mon cœur se brise juste à la pensée qu'il pourrait arriver quelque chose à ma maman. Alors, si elle se retrouvait à l'hôpital comme la tienne, je serais pas mal désemparée. Probablement que je réagirais comme toi et que la peur me paralyserait. C'est tellement tellement normal ! Ce n'est pas parce qu'on vieillit

qu'on n'a pas besoin de notre maman. Et
puis on réalise qu'elle n'est pas une espèce
de superhéros invincible. Elle est méga
humaine. Il peut lui arriver un malheur
et on voudrait donc ne pas vivre cela !
On comprend plus, en grandissant, qu'il
n'existe aucune garantie qu'elle soit tou-
jours là, bien malheureusement...

Toi aussi t'es une super amie ! Je
ne te laisserai pas en mille morceaux !
Je vais faire le casse-tête Zoé avec toi...
T'es prête ?

Frédou xxxxxxxxxxx

J'ai joué à la factrice en glissant le
livre sous la porte de ma chambre où
Zoé était enfermée. Il n'était quand
même pas question que je replonge dans
un bain, alors je me suis installée pour
lire. Sauf que mes idées ne me laissant
jamais tranquille, je me suis rappelé ce
que je venais d'écrire à Zoé : « il n'existe
aucune garantie qu'elle soit toujours

là ». Ohhhhhhhh ! C'était loin d'être rassurant d'écrire ça ! Qui sait si ça n'allait pas lui faire encore plus de peine ? La déprimer encore plus ? Lui faire peur ? J'avais peut-être gaffé. Je m'étais mis les pieds dans les plats, je pense… J'ai été maladroite. Les mots sont traîtres, parfois. Il suffit de mal les choisir ou de mal les agencer pour qu'ils bousillent ce qu'on voulait vraiment dire. Ils sont faciles à mettre sur papier, mais une fois écrits, ils peuvent autant détruire que consoler. Précieux comme des perles, forts comme des pierres, mais explosifs comme des bâtons de dynamite.

Ahhhh, non ! Non ! Non ! Je ne voulais pas me torturer l'esprit. J'avais écrit avec mon cœur. Zoé allait comprendre. Je refusais de marcher sur des œufs en écrivant. Je refusais de trop peser chacun de mes mots. Je voulais les laisser couler spontanément. Si je réfléchissais trop, je ne serais pas authentique. Mes lettres ne seraient pas aussi vraies ! Ce n'est pas un concours des plus belles phrases. Je ne cherchais pas à décrocher la meilleure note. Je n'avais pas à fouiller dans un dictionnaire à la recherche d'un synonyme pour dire le mot « peine », par exemple. Je voulais fouiller dans mon cœur, inciter Zoé à faire pareil, pour qu'elle se sente mieux, un point c'est tout. Notre cahier, c'était un refuge. Un exutoire. Un endroit où on pouvait dire ce qu'on voulait. Se vider le cœur. Ce n'était pas un examen du Ministère. Personne ne performe. On se confie. C'est tout. Il n'y a pas de bonne ou de mauvaise manière. Il n'y a qu'un seul baromètre : notre cœur et notre feeling intérieur. On se sent mieux ? Soulagée ? Plus légère ? Plus heureuse ? Moins anxieuse ? On a donc réussi. C'est le seul but !

— Les filles ? Venez souper !

Le cri de ralliement de ma mère m'a ramené illico les deux pieds sur terre. En nous asseyant à la table, Zoé et moi avons échangé un double clin d'œil. Ma mère l'a remarqué, bien sûr. Elle a souri, comprenant sûrement qu'il existait un nouveau lien complice entre nous deux. Elle ne le voyait pas, mais elle le sentait. Dans la vie, on n'est pas toujours obligé de voir pour croire ou comprendre quelque chose...

Redresser le menton

On a vécu un samedi soir tranquille.
Le téléphone a sonné souvent. Le père
de Zoé a longuement parlé à celle-ci. Sa
mère est stable. Les tests et les examens
se poursuivent. On a joué à Blockus
toutes les trois dans le salon puis regardé
un film. Sans vraiment se parler, mais
pour Zoé et moi, ce n'était pas grave.
On s'était déjà beaucoup parlé... dans
notre cahier.

Dimanche matin, à mon réveil, j'ai
trouvé un message de Zoé.

*Merci, Fred, d'être là. De m'écouter ou,
plutôt, de me lire. Ça me fait du bien.
C'est vrai qu'on croit que nos mères
seront toujours là. C'est faux ! Là, je vis
juste avec la peur de la perdre. Qu'est-ce
qui se passerait si elle ne revenait jamais*

à la maison ? Si elle n'était plus comme avant ? Si elle était handicapée ? Ou toujours malade ? Si tu savais le nombre de scénarios qui me sont passés par la tête. C'est complètement fou !

J'étais fâchée vendredi et même hier matin contre toi. J'étais jalouse. J'ai honte de le dire. Vous voir, toi et ta mère, me rappelait que ma mère n'était pas là. Je le sais bien que ce n'est pas de ta faute, ni de celle de ta mère. Mais c'était plus fort que moi. Et j'en voulais terriblement à la vie de me faire cela, ce jour-là. Durant la première semaine d'école. Juste pendant les grosses pratiques et le repêchage pour l'équipe régionale de basket. Je ne sais même plus si j'ai envie de jouer au basket. Je m'en fous, je pense ! Je ne sais plus ce que j'aime. Je ne veux pas expliquer ma peine aux autres quand on va retourner à l'école. J'ai l'impression que ma vie est sur « pause » et j'ai envie de la reprendre – de peser sur le bouton « play » – juste quand j'en saurai plus.

Vivre dans le doute, c'est pire que tout, je pense. Tu sais, je voudrais vraiment faire partie de l'équipe de basket-ball régionale. Beaucoup. La semaine passée, je trouvais que c'était long d'attendre avant que l'équipe soit formée pour savoir enfin si j'étais choisie. Un mois, c'était une éternité. Là, tout a changé. Chaque heure dure mille jours. Je trouve ça looooong! Tellement! J'aime mieux savoir rapidement que d'être dans le flou. Est-ce que c'est clair, ce que je dis? En tout cas, là, c'est la même chose. Je veux que les médecins se branchent et découvrent ce qui ne va pas chez ma maman. Pas qu'on attende. C'est long. Je suis poche pour attendre! Y a des trucs qui existent pour faire accélérer le temps?

Bon! Je m'en vais voir mon papa qui vient à la maison chercher des trucs pour maman. Je reviens en fin de journée. À plus tard.

Zoé xxxoxoxoxoxxxxoxoxoxoooxxxx

En effet, Zoé était déjà partie. La journée a passé vite. J'ai parlé longtemps au téléphone avec Emma et encore plus longtemps avec Rosalie. Je leur ai demandé de ne pas questionner Zoé quand elles allaient la croiser mardi. Pas question que Zoé se sente attaquée ou pense qu'elle est obligée de parler. Elle n'en a pas envie, c'est ainsi. Elle décide d'ouvrir la bouche, c'est ainsi aussi. C'est elle qui décide. Ce fut difficile de faire comprendre cela à Rosalie – elle aurait voulu faire un conseil d'amies sur le divan rose –, mais j'ai réussi. Elle me l'a promis ! Plus encore, elle a dit qu'avec Emma elle formerait la brigade « antiquestions » et avertirait les autres élèves. Je leur ai parlé de notre cahier spécial et elles ont a-do-ré le concept !

J'ai réussi à faire mes devoirs tout en regardant la télévision. J'avais du temps. J'ai pensé à mon GGP et à mes articles à écrire. Mais pour le moment, il y avait d'autres mots plus importants auxquels réfléchir!

Ma mère et moi sommes allées faire une marche. Je lui ai confié ce que j'avais fait pour aider mon amie Zoé.

— Wow! C'est une idée formidable! C'est vrai que, parfois, on a besoin de s'écrire pour mieux se parler… c'est fou!

Puis, elle a hésité et m'a demandé doucement:

— Tu voudrais qu'on ait un cahier comme ça, toi et moi? Peut-être qu'un jour tu auras un secret ou un truc à me dire qui passerait mieux par la voie des mots que par la parole.

J'ai accepté, c'est sûr! Ces cahiers seront des chemins que je peux emprunter autant pour aller sonder plus profondément mon cœur que pour voyager jusqu'au centre des émotions de ceux que j'aime.

❀ ❀ ❀

Coucou, Zoé !

Et puis, cette portion de journée avec ton père ? J'imagine que ça t'a fait du bien. Même si ta peur ne doit pas être partie. En fait, la peur reste en nous tant qu'on lui laisse de la place. Je ne dis pas cela pour te faire un sermon. Mais c'est quand même un peu vrai... Plus tu lui laisses de l'espace, plus elle le prend et va même piger au-delà de tes limites. Elle enfle et grossit. Même chose avec la colère, la culpabilité, la peine ou toute autre émotion négative. C'est facile de se laisser envahir. Si on les repousse pour ne pas les vivre vraiment ou si on essaie de les tenir loin de nous pour qu'elles ne nous atteignent pas, elles reviennent plus fortes pour nous envahir avec plus d'intensité encore.

J'ai longtemps été fâchée contre mon père de nous avoir laissées, ma mère et moi. De ne pas vouloir me connaître. De ne pas savoir qui je suis. De ne pas s'occuper de moi. Un jour, j'ai écrit une longue lettre, en pleurant beaucoup. Ça, c'est sûr ! Mais je me suis libérée des sentiments négatifs et pensées noires que je traînais avec moi. J'entretenais tout cela envers lui et comme je m'empêchais de le dire ou de l'écrire, eh bien ça restait en moi... J'ai donc écrit à neuf ans cette longue lettre pour pouvoir passer à autre chose. Je l'ai écrite avec mes mots d'enfant, mes émotions du moment et depuis, je me sens mieux. J'ai encore un peu de peine quand j'y pense, mais beaucoup moins. C'est moins gros comme morceau qui gêne mon cœur. Je ne sais même pas ce que j'ai fait de la lettre. Il me semble que je l'ai mise dans une vieille bouteille et que je l'ai déposée dans une petite rivière près de la maison de mes grands-parents.

Toi, ce n'est pas vraiment la même chose. Mais peut-être que si tu écrivais tout ce qui te mine, ça pourrait t'aider. Je lance cela en l'air. Tu fais ce que tu veux.

Je suis d'accord avec toi : attendre, c'est épouvantable. C'est la pire des épreuves. Cette discipline devrait être inscrite aux Olympiques. Une chose est bien certaine : je ne gagnerai jamais, car je suis trop poche. Il doit bien y avoir une façon de dompter le temps et de ne pas trop souffrir de le voir passer si lentement parfois. Le pire est que, lorsqu'on a du plaisir et que les heures défilent rapidement, ça nous fait aussi de la peine car c'est trop vite. Le temps, c'est mal fait ! ☺*

Demain, est-ce que tu veux venir à la pratique de basket-ball ? Je sais que mardi vous avez votre pratique mixte et que mercredi il y a un match amical à la fin de la journée. Je serai avec toi si tu crains d'y aller seule. Je serai ta garde du corps pour que personne ne t'achale avec des questions. Dis-moi ce que tu en penses.

Je t'aime...
Fred xoxoxoxoxoxoxxxxoxox

Je me doutais que Zoé ne voudrait pas aller à l'école lundi même pour une pratique spéciale.

Je ne m'étais pas trompée. Son message est venu me confirmer ce que je présumais.

Non. Non. Non. Pas de basket. Aucune envie. J'ai pas de force non plus. Je me sens comme une vieille serviette détrempée. Tu sais, comme celle qu'on oublie au fond d'un sac à notre retour de la piscine. Je me sens lourde, sans forme, pesante et amorphe. On dirait qu'une tonne de briques m'empêche de bouger. Je n'ai le goût de rien. Et surtout pas de basket ! Tant pis pour mon GGP !

Zoé xxxxx

P.S. Tu m'as fait rire avec les Olympiques de la patience. On ne fera pas équipe ensemble en tout cas...

Je comprends ! Demain soir à mon retour, je te ferai un petit compte rendu, si tu veux.

Fred xxxoxox

(R)assembler la vie

Quelle journée! Quand je suis arrivée à l'école, toutes les joueuses de basket me couraient après pour avoir des nouvelles de Zoé. Elles étaient très peinées pour elle et ne savaient pas quoi faire pour lui dire qu'elles pensaient à elle. Certaines ont émis des idées: lui écrire une carte, lui envoyer des fleurs, l'inviter au resto pour lui changer les idées, lui téléphoner, etc. Je leur ai rapporté les réels désirs de Zoé: avoir la paix et surtout – surtout! – ne pas se faire poser mille questions. Elles ont compris, mais elles auraient voulu l'aider.

Béatrice, une des joueuses les plus âgées du groupe et aussi la capitaine, m'a prise à part pour me confier un truc vraiment peu banal. J'ai eu les larmes aux yeux pendant son petit discours. En tout cas, Béatrice a des talents pour convaincre. J'ai compris pourquoi elle est la capitaine. « Les Étincelles, on est comme une petite famille. On se voit depuis plus d'un an à l'école et on pratique même durant l'été. On a toujours besoin des autres pour être une vraie équipe. Une équipe complète qui se tient. Aucune fille ne peut dire qu'elle tient l'équipe seule sur son dos. Les forces des unes complètent celles des autres. On ne se concentre pas sur nos faiblesses ; on exploite notre talent au maximum. Alors Zoé, on en a besoin. Pour qu'on se sente entières. Pour que l'équipe se tienne. On sait qu'elle a besoin de temps, mais dis-lui simplement qu'on va l'attendre et qu'on va être super contentes de la revoir. On ne la remplacera pas, qu'elle ne craigne rien. C'est elle qu'il nous faut ! On est là pour la soutenir et on le sera toujours, et de la façon qu'elle le veut.

C'est notre philosophie, dans l'équipe de basket ! Rappelle ça à Zoé, même si elle le sait déjà... »

Je suis ressortie du gymnase un peu sous le choc, comme hypnotisée. Je marchais en pensant tellement fort que je ne regardais pas du tout où j'allais. Ses mots bourdonnaient dans ma tête. J'ai compris que certaines personnes sont nées pour faire partie d'une gang ou d'une équipe. Elles ne cherchent pas la gloire individuelle, mais plutôt les succès collectifs. C'est ce qui les motive et les aide à sentir qu'elles font une réelle différence. Elles sont spéciales parce que les autres ont besoin d'elles et que c'est ensemble qu'elles accomplissent des trucs extraordinaires. Au fond, c'est vrai ! Être LA meilleure, c'est bien. Personne ne peut nier cela. Mais c'est encore plus merveilleux de sentir qu'on a donné le meilleur de soi et que toutes nos coéquipières ont fait pareil, unies dans la même passion. C'est encore plus gratifiant. On fait partie d'un tout qui se tient ! Un tout qui a du pouvoir ! Un tout qui peut changer les choses…

Isolée dans ma bulle, j'avançais avec nonchalance quand PAF ! Collision entre moi et Frédéric ! Il a souri, surpris de me voir puis, l'instant d'après, une brume a recouvert son regard.

— Comment va ton amie ?

Quoi répondre ? La réponse était trop longue pour être résumée en une seule phrase. Et puis, j'étais un peu intimidée par lui.

— Bof…

— Pas facile ! Je ne sais pas, au fond, ça ne m'est jamais arrivé. Mais juste l'imaginer, c'est suffisant. Ça fait peur… Dis-lui que toute l'équipe des gars pense à elle aussi !

— Merci, t'es pas mal fin !

Et… J'ai bien cru m'évanouir, car il m'a fait un clin d'œil ! Pour vrai ! À moi !

Peut-être que ça ne veut rien dire. Peut-être que je m'imagine plein d'affaires. Peut-être que mon imagination est hors de contrôle. Peut-être même qu'il avait juste une poussière dans l'œil. Peut-être... mais ça m'a rendue heureuse et je me suis sentie instantanément plus légère. Ça doit être cela quand on marche sur un nuage.

Mon nuage s'est évaporé.

J'ai peur. Une grosse méchante peur laide. J'ai peur pour ma mère. J'ai peur que ce soit long. J'ai peur que ce soit grave. J'ai peur qu'elle ne revienne pas à la maison. J'ai peur que notre vie ne soit plus comme avant. J'ai peur que ma mère meure. J'ai peur de me retrouver seule. J'ai peur d'être malade à mon tour. J'ai peur. J'ai peur. J'ai peur.

Je me sens coupable de ne pas avoir écouté ma mère. De ne pas l'aider plus. De ne pas prendre le temps de faire des trucs juste avec elle. De m'être chicanée avec elle vendredi matin.

Je déteste ça ne pas savoir. Attendre. Être loin de ma mère. De ne pas pouvoir aller la voir. D'avoir de la peine. De n'avoir envie de rien. J'en ai assez de ne plus me reconnaître. De ne même pas avoir envie d'aller au basket.

J'ai de la peine parce que ma mère est probablement malade. Qu'elle est loin. Que je suis ici. Que ce soit ma mère à moi qui est malade. J'ai de la peine parce que je ne peux rien faire. Je ne peux pas aider.

C'est pas juste. Je ne veux pas que ça soit arrivé. Que ma rentrée soit toute chamboulée. Ne plus avoir envie de rien. Ma mère ne méritait pas d'être malade. Même si je sais que personne ne le mérite.

Je ne veux pas qu'on me parle. Je veux la paix. Je veux retrouver ma vie d'avant.

Je veux avoir le goût d'aller à l'école. Je veux ravoir ma vie. Je veux que ma mère soit OK. Je veux être débarrassée de cette boule pesante écrasée sur mon cœur. Je veux retrouver la Zoé d'avant. Je veux replacer les morceaux de mon casse-tête. Je veux que ça revienne comme avant.

C'est ce message qui m'attendait sur mon lit quand je suis rentrée. Avec la note suivante :

T'es pas obligée de répondre. Ça m'a fait du bien même si j'ai pleuré une partie de la journée. Demain, je vais aller à l'école. Mon père le veut. Ma mère aussi. Elle va un peu mieux, la fièvre est finalement tombée. Elle est en mode « récupération ». Mais promets-moi que tu seras là pour m'aider et pour repousser les questions. J'ai ZÉRO envie – même pas une miette ! – de commencer à répondre à tout le monde. Promis ?

Aussi, je ne veux pas aller au basket non plus. Je ne veux pas en entendre parler. Tout d'un coup que je ne puisse même pas faire partie de l'équipe si jamais ma mère a plus besoin de moi à la maison quand elle sera de retour. J'aime mieux laisser tomber, je pense.

P.S. Je me sens un petit peu mieux... pour vrai !

Bien sûr que j'ai promis. Au souper, j'ai demandé à Zoé si on pouvait parler un peu avant de se coucher. Quand je suis rentrée dans ma chambre, après mon bain, je l'ai retrouvée étendue sur mon divan rose. Je lui ai demandé une petite place et lui ai dit qu'elle pouvait se mettre la tête sur mes genoux. Comme ma mère fait avec moi.

Elle était nerveuse à l'idée de retourner à l'école. Normal, tout le monde le serait. Pas envie de rien !

— Et si tu prenais ça un morceau à la fois ?

— Comme quand on fait un casse-tête ?

— Ouep ! Exactement ! Ça ne donne rien de se casser la tête et d'espérer finir tout un coin du casse-tête ! On met notre énergie sur un morceau à la fois... pas plus !

— C'est quoi mon morceau, demain ?

— Juste aller à l'école. Juste ça. C'est déjà beaucoup !

Avant qu'elle s'endorme, tout en lui caressant les cheveux et en lui massant un peu le dos, je lui ai doucement raconté ce que Béatrice m'avait confié. J'ai senti que les muscles de Zoé se décontractaient. Elle comprenait sûrement le message codé dans les mots de Béatrice : ses coéquipières ne lui demanderaient rien. Elles ne la fuiraient pas ; elles allaient juste être là. Et l'attendre. Même si aucune d'entre elles n'allait gagner de médaille aux championnats de la patience. On n'est pas des filles qui ont cette fibre-là bien développée! Aucune fée marraine n'est venue saupoudrer, au-dessus de notre berceau, le don de la patience et une barrière magique contre les mauvais coups du temps.

Pour la faire rire un peu, j'ai raconté à Zoé comment je démêlais mes idées en prenant des bains. Elle m'a trouvée rigolote, mais, en même temps, j'ai vu dans son regard qu'elle cherchait quelle était sa méthode à elle

Je lui ai dit aussi que j'ai rencontré Frédéric et lui ai rapporté ses paroles. Elle a souri et m'a fait un petit clin d'œil de rien du tout, puis elle est tombée endormie. Autant d'émotions épuisent. Pourtant, mes yeux refusaient de se fermer. Autant d'émotions stimulent. Je suis restée là à observer mon amie dormir. Sans faire de bruit.

J'ai étiré le bras pour attraper le cahier. J'avais d'autres choses à lui dire à Zoé et même si elle dormait, je pouvais le faire.

Zoé...

Demain, je serai ton ombre protectrice. Ou encore le parapluie sur lequel rebondiront toutes les questions afin qu'elles ne parviennent jamais à toi directement. Je te tiendrai la main. Tu ne tomberas pas. Tu seras la Zoé forte que je connais. Tu ne veux pas aller au basket, c'est correct. Écoute-toi !

Dans tout ce que tu fais, dans tous les sports que tu pratiques, tu es tellement déterminée et fonceuse que là, j'en suis certaine, tu vas attaquer ta journée avec la même fougue ! Vois ton retour à l'école tel un sport, n'importe lequel ! Ce n'est pas ma spécialité, je ne sais pas lequel te proposer (Ah... la pétanque, peut-être ? Ou le ping-pong ? Non, le curling ! Hahaha !

Je t'ai fait rire, là, non??), mais toi tu dois le savoir mieux que moi! Et fonce! Ça va bien aller.

Je pense qu'avec ce que tu as écrit, tu devrais te sentir un peu mieux chaque jour. Tu peux continuer, si tu veux... Je serai là pour t'écouter. Euhhh! Te lire, je veux dire!

Demain, à l'école, on peut apporter le cahier avec nous. Qu'en penses-tu? Au milieu d'un cours de mathématiques ennuyant, si tes idées vagabondent, on pourra se parler sans se faire prendre par le professeur.

Demain, ça va aller! Promis, je serai là! Promis, tes amis du basket seront là. Promis mille fois! Commence par aller à l'école, tu verras si ça te tente ou non pour le basket. Tu verras! Sois patiente (hahaha!), tout va se mettre en place!

À demain...

Frédou xxxxoxoxo

J'ai mis le cahier au pied du divan rose et j'y ai déposé le ballon de basket de Zoé dessus. Double message...

Tourne la page

Je me suis levée avec le cahier directement sous la joue. Zoé était déjà partie. Je l'ai appris en lisant son message.

Je pars faire mon jogging, ça va mettre mes idées en place, je pense (et quelques morceaux du casse-tête). Tu voudrais en faire avec moi, un jour? Je te ferais découvrir ma méthode pour éclaircir mes pensées...

Du jogging? Oh! C'est certain que j'aime mieux les bains, mais je suis prête à essayer. Ça colle moins à ma personnalité, mais qui sait?

Quand elle est revenue de son exercice matinal, Zoé a sauté dans la douche.

Ma méthode à moi ne semble pas lui ressembler non plus beaucoup! On est ensuite parties pour l'école. J'ai mis notre cahier dans mon sac.

Zoé était nerveuse. Je l'étais aussi, mais je devais être son roc! Ses mains tremblaient un peu plus. Je lui ai tenu la main comme si on partait pour notre première journée de maternelle.

Beaucoup de regards ont bifurqué vers nous quand on est arrivées dans la cour d'école. Zoé a un peu baissé les yeux. Je lui ai glissé à l'oreille les plans de la brigade « antiquestions » formée d'Emma et Rosalie. Elle n'était pas au courant et cela a paru lui faire énormément plaisir.

Entre le deuxième et le troisième cours du matin, Zoé a disparu. Elle était avec moi près des casiers et l'instant d'après, elle n'y était plus. Quand la cloche a sonné, pas de signe de Zoé. Mon cœur s'est mis à pomper. J'étais inquiète. Je surveillais la porte de la classe sans même écouter ce que le professeur disait. Environ 10 minutes plus tard, j'ai aperçu par la petite fenêtre... le directeur de l'école ! C'est toujours un mauvais présage ! J'ai bien cru que mon cœur allait me sortir de la poitrine ou qu'il allait arrêter. Je me suis levée sans même attendre qu'il cogne à la porte. Je savais que c'était moi qu'il voulait voir.

— Ah oui, Frédérique, c'est bien toi que je viens chercher. Tu peux me suivre ?

Au moins, il ne m'a pas fait languir. En refermant la porte de la classe, il m'a fait un clin d'œil plein de sous-entendus que je n'arrivais pas à déchiffrer, car j'étais trop énervée.

— Il y a quelqu'un qui veut te parler... Enfin des bonnes nouvelles !

C'est vrai qu'il avait l'air de bonne humeur ! Sa présence annonçant d'habitude une mauvaise nouvelle –

qui veut que le directeur vienne le chercher en classe ? –, je n'ai même pas songé une seconde que ça aurait pu être le contraire. C'est vrai qu'il souriait et qu'il avait l'air détendu. Bien loin de l'image de vendredi quand il nous a escortées à son bureau, Zoé, ma mère et moi.

— Zoé t'attend dans mon bureau !

Quand je l'ai vue, je l'ai reconnue. Je veux dire la Zoé d'avant. Encore fragile, mais c'était elle. La Zoé que je connais. Pas la Zoé en mille morceaux. Pas la Zoé démolie. Une Zoé encore hésitante, peut-être bien, mais une Zoé qui se relève.

Elle m'a accueillie en me sautant au cou.

— Frédou ! Tu ne sais pas quoi ? Je viens de parler à ma mère. J'ai eu un pressentiment, comme toi ! J'ai senti qu'il y avait du nouveau ! Et c'était vrai ! Je lui ai parlé directement, pas par l'intermédiaire de mon père ! J'ai entendu sa voix. Oh ! C'était tellement cool ! Je capote !

Elle s'est mise à pleurer. Je savais que Zoé avait pleuré durant les derniers jours, ses yeux rouges trahissaient ses larmes. Mais jamais je ne l'avais vue faire devant moi. On aurait dit que toutes ses émotions ressortaient. C'était un vrai volcan! Ça sortait et explosait de partout!

— Frédou, comprends-tu? m'a-t-elle dit en me secouant le bras. Ma maman va sortir cette semaine. Tous ses tests sont corrects. Selon les médecins, elle a fait une infection et c'est ce qui a perturbé son cœur. En tout cas, pour un bout, elle sera suivie, mais elle devrait être de retour à la maison cette semaine... Elle aura besoin de repos et de temps. Ben oui, encore le fameux « temps ». On va finir par la gagner, la médaille olympique de la patience!

— Oh...

Zoé ne m'a pas donné la chance de parler. Elle en avait trop à dire. Et ce n'est pas moi qui allais l'en empêcher.

Elle n'avait plus besoin de l'intermédiaire du cahier pour s'exprimer. Tout sortait comme si elle avait ouvert ses robinets!

— Elle m'a aussi dit une phrase qui m'a fouettée. «Tu ne baisseras pas les bras comme cela!» Ou quelque chose du genre. Ce ne serait pas correct que je ne fasse pas ce que je suis censée faire. Parce qu'un jour, je lui en voudrais. Alors elle a dit de continuer à faire comme avant. Elle ne veut surtout pas que j'arrête avec elle pour regarder le temps passer et avoir de la peine. Pour elle, c'est comme un médicament qui l'aiderait à aller mieux que de me voir heureuse! Alors, tu sais quoi?

— N...

Aucune chance que je réponde par un mot complet! Zoé détenait maintenant le monopole de la parole!

— Je vais jouer au basket, ce midi. Oh! J'ai peur! Je suis nerveuse! Je ne me sens pas au top de ma forme. Ça me stresse complètement. Mais je vais y aller. Et ce soir, je pourrai téléphoner à ma mère pour dire que je l'ai fait! Et ce sera sa dose de vitamine pour prendre du mieux! Son GGP à elle, c'est de guérir et de prendre soin d'elle. Et moi, je dois poursuivre le mien!

Je n'ai même pas essayé de répondre, cette fois-ci. J'ai simplement ouvert mes bras et on s'est fait un immense câlin. On est retournées en classe. Il ne restait que 15 minutes au cours. Zoé m'a chuchoté :

— Tu me donnes le cahier? J'en ai besoin.

J'avais hâte de lire son message. Il devait être long. Elle n'arrêtait pas une seconde d'écrire.

À la sortie du cours, elle m'a remis le cahier en me faisant promettre que je ne le lirais que lorsqu'elle aurait mis le pied, sans s'évanouir, dans le gymnase et qu'elle aurait touché à un ballon. Pas avant. « Promis ! »

En passant devant la grande murale des GGP de toute l'école, je me suis dit que la vie était parfois bien faite. J'ai choisi d'utiliser les mots pour mon GGP et pour réunir les gens. Et là, je me servais des mots pour faire du bien à Zoé.

Pendant le dîner, elle ne voulait pas que j'aille annoncer à son Louis qu'elle serait là. Elle ne voulait pas se changer avec les autres filles. Elle voulait arriver un peu en retard à la partie amicale entre les gars et les filles pour passer le plus inaperçue possible.

On est donc sorties marcher dehors. Je lui ai tenu la main. Je la sentais plus ferme, moins tremblotante que ce matin. Mais elle était extrêmement moite.

Une autre sorte de nervosité. Puis, après m'être assurée que les joueurs et les joueuses avaient terminé leur échauffement, j'ai accompagné Zoé jusqu'à la porte du vestiaire.

— Je vais m'installer dans les estrades pour commencer mon article. J'ai pris un peu de retard. S'il y a quelque chose, je ne serai pas loin. Dis-toi que je te tiens la main à distance.

Assise sur mon banc, je me tortillais. J'avais envie d'ouvrir notre cahier. Je voulais que le temps accélère. Je me demandais comment se sentait Zoé toute seule dans le vestiaire. Tout le monde a remarqué ma présence. Ont-ils deviné que Zoé était sur le point de faire son arrivée ? Qu'elle était tout près ? Chacun a zyeuté dans ma direction en me faisant un petit signe discret : Louis, l'entraîneur, m'a saluée d'un hochement de tête, Béatrice a tendu la main en levant le pouce dans les airs, Frédéric m'a fait un clin d'œil (Ouuhhh! J'allais aimer le basket encore plus que je l'aurais cru!) et même Carl, le beau numéro 7 de Zoé, m'a souri. Instantanément, j'ai senti que je faisais un peu partie de leur équipe, de leur unité, de leur clan, même. Ça m'a rendue fière! Tellement.

Mais rien n'aurait pu me rendre plus fière que de voir mon amie ouvrir la porte du gymnase. Je surveillais son arrivée du coin de l'œil. Quand j'ai vu son visage à travers la petite fenêtre, je lui ai fait un clin d'œil qui, je l'espérais, contenait toute l'énergie que je sentais dans le gym. Je souhaitais faire un transfert d'énergie à travers notre petit signe complice.

Elle s'est avancée, le regard hésitant tout comme ses pas. Puis, quelqu'un a remarqué sa présence. Un grand murmure a envahi le gymnase. Tout le monde a figé sur place. « Ah non! Pas le silence! Pas le malaise! »

me suis-je dit. Je commençais à paniquer. Je manquais de souffle. Ma gorge était sèche. Et pour Zoé, ça devait être pire encore. J'avais envie de me précipiter pour aller lui tenir la main, pour l'aider, pour être là tout près d'elle. Mais je sentais (encore un pressentiment !) que je n'avais pas besoin de le faire. Zoé serait capable.

J'ai cherché Béatrice du regard, croyant qu'elle pourrait aller chercher Zoé. Puis, BANG BANG. Quelqu'un faisait rebondir le ballon de basket avec force sur le plancher. Le son a résonné, comme un tambour rassembleur, comme un signal. Tous les autres joueurs se sont mis à taper du pied et à frapper dans leurs mains en suivant le rythme du ballon. Tout cela pour accueillir Zoé comme il se devait.

Pas une parole, mais un tonnerre silencieux de mots d'encouragement, de « Ne lâche pas ! », de « On est là ! », de « On te comprend » et de « On est avec toi ! ». Les larmes coulaient toutes seules sur mes joues et mouillaient la couverture de notre cahier.

Béatrice a fait quelques pas pour rejoindre Zoé. Elle lui a dit quelque chose à l'oreille, lui a donné une tape sur l'épaule et l'a entraînée vers les autres. Louis a crié : « On reprend ! » et a mis le ballon dans les mains de Zoé.

Zoup ! L'instant d'après, le match recommençait. On aurait dit qu'on avait pesé sur le bouton « en marche ». La pause était terminée. La vie reprenait son cours.

C'était de la magie ? Non. C'était... juste la vie ! L'unité, aussi ! Le bonheur de faire partie d'une équipe qui nous soutient à sa façon.

J'ai souri durant tout le match. Je n'ai pas lâché des yeux mon amie. Elle était tellement belle. Si, au début, elle semblait un peu mal à l'aise, nerveuse dans ses gestes, elle a vite retrouvé son aplomb. Emma et Rosalie sont venues me rejoindre sur l'estrade.

— Elle est belle, Zoé, hein ? m'a soufflé Emma.

— Oh oui ! Avec tous ses morceaux ! Tous !

Les filles n'ont peut-être pas compris ce que je voulais dire, mais moi je le savais. Les derniers jours avaient été tout un casse-tête, Zoé en était un aussi. Mais là, les morceaux se recollaient. Ça me rendait tellement heureuse. Le gros morceau « basket » ayant été placé, le casse-tête de Zoé allait être de plus en plus facile à terminer…

Emma et Rosalie sont reparties vers leur classe.

— Je vais attendre Zoé. On se voit plus tard !

Je mourais d'envie d'être toute seule. J'avais complètement oublié de lire le message de Zoé. Je ne voulais pas le lire devant les filles ; elles auraient voulu savoir ce qu'elle avait écrit.

Merci. Mille fois plus encore ! Si tu lis ce message, c'est que j'aurai réussi. J'aurai touché au ballon. J'aurai replacé le plus gros morceau (après ma mère, bien sûr) dans mon casse-tête. Merci. C'est à cause de toi que j'ai réussi, aussi. On forme une super équipe, toi et moi ! Merci. Merci. Merci. Merci. Merci.

P.S. Je pense qu'on devrait acheter un nouveau cahier. Celui-ci est terminé. Je veux en avoir un nouveau pour mieux tourner la page. On en écrit un autre, tu veux ? Un plus beau encore.

Ce soir-là…

— Maman, tu veux venir à la petite librairie avec nous ?

— Là ? Tout de suite ? Avant souper ?

— Absolument ! C'est urgent ! ai-je affirmé.

— Urgent ?

— Tellement ! J'ai besoin de deux nouveaux cahiers. Un pour Zoé et moi. Et un pour toi et moi, ai-je répondu en lui faisant un autre clin d'œil et un immense câlin.

Les secrets du divan rose

As-tu déjà eu à consoler une amie ? Comment as-tu réussi ? Pour toi, est-ce plus facile de parler ou d'écrire ? Écris-nous à divanrose@boomerangjeunesse.com.

Pour tout savoir sur les nouveautés de la série, la présence de Nadine Descheneaux dans les salons et les tournées dans les écoles et les bibliothèques, visite régulièrement le site **lessecretsdudivanrose.com**

Dans la même collection

ISBN 978-2-89595-456-9

ISBN 978-2-89595-457-6

ISBN 978-2-89595-458-3

ISBN 978-2-89595-485-9

ISBN 978-2-89595-524-5

ISBN 978-2-89595-547-4

ISBN 978-2-89595-606-8

ISBN 978-2-89595-564-1

ISBN 978-2-89595-602-0